점퍼Jumper, 순간이동자 3권

Jumper, The Teleporter 3

점퍼Jumper, 순간이동자3

발 행 | 2024년 03월 25일
저 자 | 장성우(살생금지)
펴낸이 | 장성우
펴낸곳 | 인생은 인쇄다
출판사등록 | 2023.7.17.(2023-000037호)
이메일 | jsoooosj@naver.com

ISBN | 979-11-93868-10-2(04810) / 979-11-93868-13-3(세트)

jsoooosj.upaper.kr

점퍼Jumper, 순간이동자 3권

장성우(살생금지) 현대 판타지 소설

목차

작가의 말

점퍼.

작가의 말입니다.

벌써 3권이군요.

흠.

책을 쓰는 건 언제나 즐거운 일이고.
심지어 그 책을 편집해서 바깥에 내는 건,
제가 늘 상상했던 일이기도 합니다. 여러모로 꿈을 이뤘다고 할
수 있겠네요.
물론 그것보다 중요한 건,
여러분들한테 어떤 이야기를 들려드리느냐, 이겠지만요.

과연 이 소설이 여러분의 인생에
자그마한 의미라도 될 수 있을 것인가.

조금이라도 파문을 일게 만들고,

조금이라도 감동이나 지혜의 작은 편린을 건넬 수 있을 것인가.
뭐… 그런 고민들은 늘 있습니다. 결과가 좋겠다면 감사하겠습
니다만은. 오늘은 2권 작가의 말과 마찬가지로 토요일입니다. 만일
어린이 여러분이 이 책을 보고 있다면… 하루하루를 소중히 하기
를 바랍니다.

24.3.16.土. 저자, 장성우·살생금지 올림

1.여름 이야기

옌은 탁월한 레이더Rader였다.

서울에 대한 감지는 100번 이내로 끝낼 수 있었다. 홍인수의 도약 한계까지 짜낸다면 하루에 두 번도 서울 전역의 감지가 가능하겠다만은, 쫓기는 일도 아니었기에 그들은 천천히 갔다.

민서는 가장 많은 횟수의 점프에 하루동안 참여할 수 있었다. 옌이 감지에 걸리는 시간은 그리 길지 않았다. 그녀는 다른 점퍼들이 자신의 감지 범위 내에서 곧바로 점프의 흔적을 느끼는 것처럼, 거대한 반경에서 JE를 탐색해냈다.

다만 그녀도 민서에게서 JE2에 대한 감지를 해내지는 못했다. 가상으로, JE2라 불리는 건 JE에 간섭하면서 그 존재가 드러날 뿐이었고 일반적으로 점퍼들의 감지 기관에는 걸리지 않는 듯했다.

거대한 범위의 추적. 낮에 시작한 점프는 해당 날을 기점으로 시간대를 바꿔가며 서울을 샅샅이 뒤질 것이다. 약 백 삼십여 명 정도로 추측되는 점퍼들이, 자신의 능력을 유감없이 발휘한다면 충분히 찾을 수 있는 방법이었다. 물론 서울에 무조건 있다는 이야기는 아니었지만, 세계 각국의 가장 번화한 도시들을 돌다 보면 나올 수 있었다.

전역을 돌면서 이미 알고 있는 점퍼들과 마주치는 일은 없었다. 조직의 점퍼들은 해당 감지 임무 중에 서울을 들르게 되면 짤막하게, 홍인수에게 연락을 남겼다.

조직에 속하지 않고 자유로이 활보하는 점퍼들 중 조직이 알고 있는 이들도 있었다. 그들은 대개 한 차례 일탈을 즐기다가 조직의 제재를 받고, 약간의 감시나 강력한 권고 아래서 살아가고 있었다.

혹은 점프 능력을 지녔지만 전혀 그런 기미 없이 살아가는 이들도 있었다. 그런 이들의 경우에는 조직도 굳이 관여하지는 않는다. 그들이 일상적으로 삶을 살아가게 두는 편이었다. 간혹, 점프를 이용해서 눈에 띄려는 이들의 경우에는 다가가서 경고 정도는 주지만 말이다.

'점프'라는 능력은 개인의 것이 아니었고, 어느 정도 개체 수를 유지하는 능력자들의 무리와 사회에 의해서 통솔되고 제어되는 중이었다.

첫 날의 수색에서 건진 것은 딱히 없었다. 민서는 너무도 많이 공간 이동을 겪으면서, 약간 어질어질 한 것 같은 기분을 느꼈다. 다만 그건 기분 뿐이었고, 정신적으로 익숙해진다면 곧 사라지는 증상이었다. 점프는 여태까지 밝혀진 바로는, 인간에게 해로운 영향을 주는 요소는 없는 현상이었다.

옌과의 만남은 떨떠름하게 마무리되었다. 그녀는 영 농담을 즐길 만한 상태가 아니었고, 홍인수는 나름대로 장난기가 있는 사내였지만 받아줄 만한 이가 없었다. 민서 역시 그저 기계적으로 그들을 따라다닐 뿐이었고.

별다른 이야기나 사교적인 관계성의 진전 없이 그들은 묵묵히, 수색만을 계속하다 헤어졌다. 숨이 막히는 시간들이었다. 민서는 그런 어색함에 크게 신경을 쓰는 편은 아니었지만, 지속 되면 그래도 물리적으로 불편함 정도는 느꼈다. 자신의 것이라기보다는, 상대의 마음을 지레짐작하면서 오는 어려움이었다.

아무튼 민서는 때아닌 서울 탐방을 마치고, 같이 간단하게 식사를 하고 헤어졌다. 수색에 참여하는 날은 딱히 실험 일정이 없었기에, 집에 틀어박혀서 JE2에 대한 고찰을 했다. 훈련도 겸하면서. 이번에는 다행히, 처음에 홍인수가 그랬던 것처럼 주변에서 점프를 하다가 그의 집까지 오차가 발생해서 다가오는 일은 없었다.

*

8

홍인수는 입맛을 다셨다.

"쩝."

그는 조직의 기지, 자신의 개인 룸에 있었다. 그가 이 방에 배정되었을 때부터 그대로인 모양의 흰 침대에 걸터 앉은 그는 혀를 찬다. 그는 기분이 썩 좋지는 않았다. 최근 들어 그에게 주어지는 임무들이, 그가 가장 익숙하게 해낼 수 있는 현장 전투가 아닌 가외적인 것들이었기 때문이다.

그가 존경하며 따르는 조직의 수장, 커맨더가 무슨 생각을 하는지는 대충 알 수 있었다.

이대로 그를 조금씩 경험을 쌓게 하고, 조직의 돌아가는 면모를 익히게 하며 연차가 쌓인 뒤 자신의 후임으로 삼으려는 계획일 테였다.

그 자체가 절대로 싫다, 는 건 결코 아니었으나… 아직 그는 몸을 쓰는 일을 더 하고 싶었다.

왜냐하면 그것이 그가 가장 잘 하는 일이었으니까.

또한, 그에게 있어 가장 잘하는 일 정도가 아니라 조직 내의 누구와 비교해도 가장 잘 하는 일이었으니까 말이다.

자신이 강도 높은 현장 임무를 뛰고 부담을 줄이면, 다른 현장직 요원들의 짐이 가벼워진다. 그게 그가 조직에 있어서 가장 쉽고, 효과적으로 헌신을 하는 방법이었다. 또한, 동료들을 위하는 방법이기도 했다.

누구라도 피로가 쌓이면 실수를 하고 임무에서 부상의 위험이 커지게 된다. 그건 비단 그 하나 뿐만이 아니라, 조직 전체의 현장 인원들에 있어서도 그러했다. 혼자서 몇 개의 임무를 며칠 만에 소화해낼 수 있는 그가 빠지게 된다면, 자연스레 전체의 부담이 조금씩 올라갈 테였다.

그는 그런 점이 마음에 들지 않았다. 커맨더의 생각은 나쁘지 않고, 오히려 장기적으로 옳은 것이었으나 그는 몸이 근질거렸다.

그런 생각을 하며 조직의 기지 내에서 있을 때였다. 그의 호출기에 문자가 날아들었다. 긴급 호출 내용이었다.

-소드마스터. 현 시간 부로 지휘실로. 긴급. 강력. 코드A.

긴급, 이나 강력, 은 말 그대로의 단어였다. 호출 내용에 정해진 방식이나 순서 따위가 관례적으로 있었지만 모두가 지키지는 않았다 그야말로 긴급한 호출일 때는 내용만 맞추어서 빠르게 적어 보내는 편이다.

긴급은 즉시 투입을 요하는 상황을 의미했고, 강력은 강력 범죄의 테두리에 들어가는 일들을 의미했다. 주로 강도나 테러범, 납치범 따위가 연루된 사건을 해결할 때에 들어간다.

그리고 코드A는 소드 마스터가 가장 잘 해결할 수 있는 일들이었다. 상황A라는 뜻으로, 점퍼 조직이 가장 기피 하고자 하는 사태를 의미한다. 위험도 제1순위의 상황으로, 대규모 인원들이 섞여 있는 난전의 상황, 혹은 많은 인명이 위험에 처한 상황, 혹은 적대적 대상이 대단위의 조직이거나 군대 수준일 때 나타난다.

어떤 식이든, 그다지 겪고 싶지 않은 일들이었다.

홍인수는 문제에 기뻐한다기보다는, 자신이 나설 수 있는 상황이 왔음에 지휘실로 당장 달려갔다.

후욱, 하고 그가 사라진다. 침대에 앉아 있던 자세 그대로 말이다. 평상시와 같은 양복 차림으로 잠시 쉬고 있던 그였다. 그는 쉬면서도, 언제 찾아올지 모르는 긴급 상황에 현장 장비들을 모두 착용하고 있는 상태였다. 방탄용 상하의 피복과 연구소에서 제공하는 다종의 현장 아이템, 그리고 애용하는 권총이나 단검, 삼단봉 따위였다.

*

지휘관 실을 들렀던 그는, 한 군데를 더 경유해서 현장으로 옮겨 갔다. 그가 무버는 아니었지만, 다소의 장비가 필요했기에 자주 사용하는 키트를 찾기 위해서였다.

기지 내, 연구부 근처에 있는 창고에 들른 그는 자리에 있던 사무직 요원에게 짧게 상황을 전달했고, 곧바로 애용하는 물건 모음을 받았다.

보스턴 백처럼 들어서 옮기는, 더플 백이었다. 등에 맬 수도 있었으나 드는 게 편한 것이 좋았다. 결국 점프로 이동할 때는 바닥에서 떨어뜨려 손에 들고 있어야만 개인의 일부로 인정이 되어 같이 도약이 되기 때문이었다. 어딘가 무게를 분담할 수 있는 곳에 닿아 있다면 그 물건은 결국 도약의 시작지에 남게 된다.

거친 천으로 만들어진 가방의 지퍼 안에는, 그의 손에 익은 장비들이 여러 종류 있었다. 주로, 총화기와 헬멧이었다. 탄창 따위도 그득하다. 그가 평소에 입는 양복의 상의는 안감이 튼튼하고 내부에 주머니가 많이 있었다. 몸으로부터 일정 거리 떨어지지 않기 위해서는, 안주머니에 넣어 두는 편이 안전하다.

그는 더플백 내부에서 탄창 여러개를 집어 들어 안주머니에 넣었고, 규격 상 3cm이상이 몸에서 떨어지지 않는가 습관적으로 쓸어내려 감을 재었다.

그리고 그 위에 얇은 재킷을 하나 더 걸쳤다. 바람막이 처럼 생긴 것이었는데, 깃이 올라와 있어서 지퍼를 채우지 않아도 자연스레 목을 감싼다.

가볍고 전, 측방 시야가 잘 확보되는 헬멧도 머리에 썼다. 오토바이용 헬멧을 훨씬 컴팩트하게 줄여놓은 모양이었다. 머리로부터 일정 거리 이상 떨어지지 않게 하기 위해 연구부의 많은 기술들이 들어가 있었다. 기관총을 정면에서 갈겨서 맞아도 깨지지 않는다.

그리고 나서 그는 그대로 연구부의 창고에서 후욱, 하고 개인 키트를 들고 사라졌다. 그가 향하는 곳은 난전이 벌어지고 있는 어딘가였다.

*

이 시대에도 전쟁은 일어난다.

비단, 언제든 일어날 수 있는 일이었다. 전쟁이란 건 말이다.

심지어 외교의 한 수단으로 보기도 한다. 사람의 목숨을 잃게 되는 일들은, 현대적 윤리에서 금기이지만 국가적 사태에서 수뇌부에 의해 선택되는 일들일 때도 있었다.

그러니까 어떤 나라는, 자국의 이익을 위해서 타국을 침략하기도 한다. 국제 사회의 비난을 감수하면서.

결국, 세계화가 이루어지고 커뮤니케이션이 용이해진 시대에서도 서로에 대한 신뢰나 진정한 의미의 국제적 외교는 단절된 공간들이 있다는 말이었다. 어딘가의 움직임이 누군가에게는 목줄을 위협하는 듯한 제스쳐가 된다.

머릿속으로 한없이 굴려대는 시뮬레이션 속에서, 몇 수 앞의 미래에 자국이 숨통이 조여 죽는 모습을 상상하게 된다면 어떤 나라들은 자포자기식으로, 혹은 배째라는 식으로 행동들을 감행한다.

주로, 공산권의 영향을 받던 국가들이 그렇게 움직이게 마련이었다. 독재 체제를 유지하며 멍청한 개인의 절차 없는 의사에 따라 일국이 좌지우지되는, 그런 나라들.

동유럽에 위치한 벤즈Bentz는 중앙 아시아의 영향과, 유럽의 영향, 그리고 위로는 러시아의 영향을 받는 나라였다.

그 사이에서 세계를 주도하는 선진국은 아니었지만 정치적인 균형을 이루며 자생의 길을 찾아가던 국가였다.

그런 나라에서 전쟁이 일어난 건, 독재 국가의 수장의 결정에 따른 침략 때문이었다.

역사적으로 거대한 연방이었고, 언제나 최대의 영토를 자랑했던 대국인 러시아의 영향을 받던 벤즈는 현대에 그 영향력으로부터 멀어지기 위해 애를 쓰고 있었다. 언제 어떤 악의적이며 직접적인 행위를 자행할지 모르는 폭군에게서 떨어지고자 하는 건 당연한 정치적 방향성이었다.

동유럽의 처음, 곧 러시아가 맞이하는 유럽의 관문과도 같은 지역에 있는 벤즈는 그러기 위해 유럽의 다양한 국가들에게 원조를 요청했다. 자신들만의 힘으로 자생하기에는 부족한 게 현실이었기 때문이다.

그리고 현대에 이르러서, 21세기가 지나고도 한참이 지나는 시기 즈음 러시아가 급진적인 결정을 내렸다.

서방 세계의 선진국 연합과, 이와는 동떨어진 흐름의 국가들. 정상적인 외교가 이루어지기 보다는, 단절 속에서 독재 정치가 이루어지는 국가들. 그런 흐름 중 하나였던 러시아는 전 세계적인 흐름이 자신들의 생존에 저해되는 쪽으로 흐른다고 생각했다.

실질적인 기술력이나 인프라, 세계를 선도해 나갈 국가적 저력이 부족했던 러시아는 결국 타국의 도움을 받고, 상생하는 흐름 속에서 나아가는 수 밖에 없었다. 그러나 적대적 관계를 구축한 세계 사회에서 고립되고, 결국 자신들의 아집을 유지한 채로 생존을 하기 위해 누구도 하지 않을 짓을 하는 데에 이르게 된다.

자국민들조차 따르지 못하는 명령을 국가 원수로서 대통령이 내린 것이다.

그것은 영토 확장과 자원 확보, 그리고 세계에 대한 자신들의 입장 표명과 위협을 위한 침략이었다. 가만히 있다가는 결국 고립되어 굶어 죽게 되리라는 위기감 때문이었는지, 현대에 벌어진 침략 전쟁은 많은 이들을 비탄의 늪에 빠뜨렸다.

서방 세계의 영향력에 대한 경고와 자신들의 생존 의지를 드러낸 움직임이었다. 그러나 예전 소비에트 연방 시절 러시아 쪽에 속해 있던 벤즈로서는 불쾌한 기억을 떠올리게 함과 동시에 자국민들과 영토를 불타게 만든 시대를 잊어버린 야욕에 불과했다.

어찌 되었든, 전쟁은 심화 되었다.

그 자체로는 점퍼 조직이 할 일이 많지는 않았다 고작해야, 피난민들의 피난을 돕는 정도. 전쟁의 향방을 가를 만한 일들에 점퍼가 참여를 하기는 어려웠다. 점퍼로서의 능력을 십 분 발휘 한다면 역사에 영향을 끼칠 수 있었으나 점퍼 조직은 그렇게 간이 크고, 역사를 선택할만한 뚜렷한 사상이 있는 조직은 아니었다.

결국 어느 한 쪽의 손을 들어주어야 할텐데, 점퍼들은 능력은 있었으나 어느 정도는 방관자의 입장을 취하고 있었다. 물론 개입한다고 해도 자신들의 목숨을 걸어야 하는 점도 있었고 말이다.

올해 2월에 시작된 러시아-벤즈 전쟁은 많은 사상자들을 낳고 있었다. 그 가운데 조직의 점퍼들이 간헐적으로 투입되어서 빠져나가지 못하는 피난민들을 돕고 민간인들의 인명 피해를 줄이려는 노력을 반복했다.

조직의 인력 부족은 만성적인 것이었으므로 총력전을 펼치기는 어려웠으나, 힘이 닿는 대로 가장 유용한 위치에서 움직였다.

그리고 현재 6월 말. 전쟁이 본격화되었고 러시아 쪽의 침공이 기세를 타게 되었다. 방어 전선 중 한 곳이 뚫리게 되었고, 러시아군의 뒤늦은 총공세가 벤즈의 수도 게이브Gave에 다다랐다.

대통령 관사와 벤즈의 행정력을 상징하는 다양한 청사들이 있는 곳에 군세가 들이닥치자 상황은 단박에 비상이 걸렸다. 심지어 끝까지 피난을 가지 않고, 현장에서 뛰며 각국의 도움을 요청하고 국민들을 격려하던 대통령 내외가 러시아의 특수 작전 부대의 손에 의해서 포로가 된 상황이었다.

대통령 관사 내에서 인질로 잡힌 이들은 아무 것도 할 수 없었고, 인력이 부족한 벤즈 군의 허점을 찔러 돌입한 러시아 군의 일부가 수도 게이브, 관사 주변에 포진하게 된다.

타국의 도움과 원조로 전선이 어느 정도 안정화가 되고, 벤즈 국민들의 단결력에 의해서 뚫린 구멍은 메워진다. 그러나 여전히 대통령 부부 내외가 인질이 된 상황은 교착 상태였다.

관사 내부에서 러시아의 특작 부대와 화력 무기들을 들고 진입한 군사들이 농성을 벌였고, 외부에서 벤즈의 특수 부대를 포함한 군사들이 이를 깨고 대통령을 구출하기 위해 치열한 교전을 벌이고 있었다.

이 때 점퍼 조직에게 의뢰가 오게 된다. '홍인수'가 받게 된 의뢰였다.

게이브의 시가지에는 여러, 오래 된 대성당들의 모습들이 있었다. 그 외에 현대적인 발전을 상징하는 해외 자본의 투자로 지어진 빌딩들이 있었고, 나름대로 발전하고 있는 신도시의 모습을 간직하고 있는 곳이었다.

벤즈의 다양한 분야에서 동시에 중심지이기도 한 곳이었고, 수백만 명이 살아가고 있는 대도시였다.

그런 곳에 러시아 군이 들이닥치자 시민들의 패닉은 심화되었다. 오랜 전쟁의 지속으로 나름의 가이드 라인을 익힌 시민들이 무차별적으로 피해를 입는 상황 까지는 가지 않았지만, 그들의 일상이 지대하게 침범당했다는 점은 변함이 없었다.

전쟁으로 인해 수 만 여명의 사상자가 생겨났고, 그의 백 배가 넘는 수의 피난민들이 생겨났다. 재산적 피해는 쉽게 셀 수 없었고, 지속된다면 한국같은 나라의 1년 예산을 넘는 수준이 될 것이었다.

한국보다는 약간 쌀쌀한 기온을 연 평균으로 갖고 있는 나라였다. 여름이었음에도, 한낮의 최고 더위는 있었으나 평균적으로 한국의 더위보다는 조금 덜했다.

시가지는 나름대로 아름다웠다. 대통령 관사는 전근대 시절 황제에 의해 지어진 궁전을 그대로 사용하고 있는 건물이었다. 청록빛의 디자인으로 빛을 내고 있는 아름다운 건물이었다. 그 내부에서, 벤즈의 대통령 '빈상트 페브르트'와 '알마시아 페브르트'가 결박되어 있었다.

현대의 러시아-벤즈 전쟁을 겪는 대통령으로서 갖은 고난과 스트레스와 압박 속에서 임기를 이어가다가 현재는 직접적으로 전쟁에 의한 수난을 경험하는 중이었다.

대통령 내외가 포로가 되었다는 사실이 알려지고, 그것의 구출과 해방이 지난 하다는 게 판명되자마자 연계된 국가들은 점퍼 조직에 의뢰를 하게 된다.

홍인수는 게이브의 시가지 중 인적이 드문 어느 골목에 나타났다. 후욱, 하는 전조가 있었으나 아무도 보지 못했고 또한 느끼지 못했다. 그는 컴팩트한 사이즈의 헬멧을 끼고 있었다. 전면부가 유리같은 투명한 판으로 되어 있어 시야가 가려지지는 않았다. 양복 차림에 얇은 윈드 브레이커 자켓을 깃을 세워 입은, 급하게 외출이라도 나온 듯한 행색이었다.

그의 손에는 더플백같은 재질의, 드는 가방이 들려 있었다. 내부는 어려운 상황의 해결에 쓸직한 다양한 화기가 들어 있다.

"쑵… 이거 백업이 있으면 좋을 텐데."

현장의 난관을 헤쳐 나가는 건 그의 장기이며, 하기 좋아하는 일이었다. 그러나 그럼에도 그 역시 분명 한계는 있었다. 백업이 있다면 조금 더 상황을 풀어 나가기 편한 것이 사실이다. 몇 명의 백업 점퍼, 혹은 열 명 내외의 비점퍼 백업 요원, 아니면 한 명의 리시버라도 같이 있었다면 해결 난이도는 절반으로 내려갔을 테였다.

인원이 부족한 것에 대해서 현장에서 길게 투덜 댈 생각은 없었다. 그는 총화기를 골목의 한 구석, 그늘에 잘 두었다. 어차피 시가지에 사람은 없었다. 그가 있는 곳에서도 저 멀리서부터 총성이 들리고 있다. 이런 상황에서 나돌아다닐 민간인도 없고, 군인들이 이곳까지 나올 이유도 없었다.

그는 작전에 임하기 전 전자 파일로 대통령 관저, 로 쓰이고 있는 건축물 '마린 궁'의 구조도를 받아 왔다. 그리고 그 주변 거리에 대한 상세한 지도도.

대략적으로 현 상황에 대한 구도도 포함되어 있는 데이터를 슬쩍 꺼내어서 숙지했다. 더플백에 같이 넣어둔 소형 태블릿이었다.

얼마간 바라보던 그는 그것을 백에 다시 넣어두고 한 가지만 손에 든 채다. 연발 사격으로 맞추어 둔 기관단총이었다. 확장 탄창을 끼고, 9mm탄의 탄창을 한가득 몸에 챙겼다.

손에도 가죽 장갑 같은 것을 꺼내어 착용했다. 전체적으로 헬멧도 목까지 깊이 내려오는 종류라서, 살이 보이는 곳이 거의 없었다. 손목도 목이 긴 장갑과 버튼을 채운 양복 소매, 그리고 윈드브레이커에 의해 드러나지 않는다.

이거면 된다. 그는 날뛸 준비를 끝냈다. 우선, 바로 사용할만한 물건을 조금 더 챙겼다. 섬광탄과 연막탄이다.

그는 곧바로 도약을 시행한다. 외부 관측으로 인해 대통령 내외가 잡혀있다고 예측되는 장소로였다. 그는 리시버만큼 능숙하지는 못했지만, 역시 도약의 시행과 취소로 인해 해당 장소를 더듬어 알 듯이 약간 탐색하는 게 가능했다.

특히나 이런 인질 구출에서는 한 치의 오차가 성공과 실패를 가르기에 더욱 쓸만한 기술이었다.

그는 궁 내부, 대통령이 일을 보는 집무실 위치에 인질들이 묶여 있으리라 보고 공간을 넘어 더듬어보았고, 대강 앉은 채로 묶여 있는 것 같은 두 명의 위치를 파악했다.

후욱, 하고 그가 사라졌다. 손에 들고 있는 탄들의 안전핀은 뽑은 채였다.

*

홍인수는 대통령의 집무실 내부로 도약하지는 않았다.

우선은, 집무실과 접하는 복도의 끝자락으로 이동했다.

집무실이 보이는 복도로 접어드는 모서리. 그곳의 벽에 딱 기대어 나타난 그의 손에는 섬광탄과 수류탄이 들려 있다.

후욱, 하고 갑자기 나타난 그를 그대로 사격하는 러시아 군은 없었다. 다행히, 교전은 외곽에서 일어나고 안쪽 병력은 그가 아직 돌지 않은 코너를 지나, 복도에 치중되어 있는 듯했다.

"억!"

갑자기 누군가 비명을 지르는 소리가 들렸다. 먼 곳에서 들리는 귀 따가운 총성 사이에서도 왜인지 선명하게 들리는 목소리였다. 홍인수는 그대로 고개를 돌리기 전에, 상황을 인지했다.

그는 집무실 쪽 복도로 아직 코너를 돌지 않고 벽에 몸을 기대어 있다. 그가 있는 복도 쪽으로 러시아 군 누군가가 모습을 나타낸 것이다. 홍인수가 경계하고 있는 방향 외에, 바깥쪽으로 통하는 방향에서.

그는 그대로 손에 들고 있던 섬광탄을 날렸다. 한 손에는 기관단총과 연막탄의 안전 손잡이를 쥐고 있었고, 왼손의 스냅으로 날린 것이다.

날아간 섬광탄은 슬쩍 보고 파악한 군사의 근처에 떨어졌다. 그가 반응하거나, 총구를 들이밀기 전에 빛과 함께 폭음이 퍼진다.

그와 동시에 홍인수는 그대로 집무실 쪽 복도로 연막탄을 집어 던졌다. 훅, 하고 날아간 그것에서도 거의 딜레이 없이 흰 안개가 뿜어져 나왔다.

홍인수는 미리 파악해 둔 좌표로 한 번 더 이동을 시도했다. 그가 기대고 있는 벽 너머라, 사실 암기를 할 필요도 없기는 했다. 한 두 번의 점프 시도로 내부 구조를 슬쩍 살핀다. 방 정확히 중앙, 의자에 묶인 형상의 두 사람이 있었다. 금세 찾아낸 그는 곧바로 도약한다.

후욱, 하고 코너를 두고 한 쪽 복도에서는 섬광탄이, 한 쪽 복도에서는 연막이 뿜어져 나오는 상황에서 그가 사라졌다. 방 내부에 있던 인원들도 갑작스러운 소란에 주의가 바깥으로 쏠린다.

*

집무실 내부는 제법 넓은 공간이었다. 잡다한 가구를 다 치워 둔 네모난 빈방이었다. 유서 깊은 궁의 분위기를 나타내는 듯한 카펫이 깔려 있었고, 마린 궁이라는 이름답게 청록빛, 혹은 에메랄드 빛의 색조로 여기저기 벽면이 장식되어 있었다.

그곳에서 젊은 남성과 여성이 묶여 있다. 젊다고 함은, 각국의 대통령이나 수장들과 비교했을 때 젊다는 이야기였다. 40대의 남성과 여성이었으나 타고난 외모 덕인지 더 젊어 보이는 편이었다.

가운데 제법 값이 나가 보이는 목재 의자에 묶여 있는 두 사람. 그들은 밧줄 따위로 바짝 묶여 있었고, 입에도 재갈이 물려 있다. 보는 것에는 자유가 있는지 시야를 가리는 것은 없다.

금발의 두 남녀, 벤즈의 대통령 부부 내외 주위에는 무장을 한 병력들이 있었다. 러시아의 특수 작전 부대다. 검은색 일색의 장비로 통일한 모습이 나름의 위압감을 조성했다. 그리 춥지 않은 날씨임에도 온갖 두터운 군사 장비로 무장한 모습에 체격이 꽤나 커 보이는 무리들이다.

헬멧과 고글 따위로 얼굴을 가리고 있어 모습이 보이는 이가 적었다. 한 두 사람 정도가 얼굴을 내놓은 채 다소 편하게 있었는데, 아마 부대를 통솔하는 현장 지휘관인 듯 하다.

몇 명은 소란이 나서 문 앞에, 몇 명인가는 문을 열고 복도로 나갔다.

집무실의 사방, 벽면 근처에서 바깥을 경계하는 이들도 있었고, 부부 주위에서 부부를 감시하는 이들도 있었다. 그러나 한 순간 대부분의 시야가 복도 쪽으로 향한다. 직접적인 소란이 난 탓이었다.

그 때 홍인수는 두 부부의 의자 뒤로 도약해 온다.

후욱, 하는 점프에 익숙한 이가 아니라면 지나칠 만한 미약한 소리와 함께 신형이 드러났다. 이대로 들켜서 바로 총을 갈길 만한 이들이 있다면, 위험했지만 어차피 등판은 방탄 재질의 피복으로 맞아도 죽지는 않는다. 헬멧도 있고. 그리고 아마 귀중한 인질을 두고 함부로 총을 갈길 녀석들도 없을 테였다. 일반적으로 '점퍼'가 뭘 할 수 있는지 인지하는 이들이 아니라면, 현재 상황을 이해하기도 힘들 거였고.

홍인수는 절묘하게 붙잡힌 인질의 등 뒤로 점프를 해와서, 곧바로 주저앉았다. 인질들을 시야에 넣고, 헬멧을 벗고 있던 지휘관이 문득 헛것을 본 것처럼 그를 인식했다. 그때 이미 홍인수는 의자의 틈으로 인질들의 허리께에 손을 닿게 한 상태였다. 홍인수는 딜레이 없이 도약했다.

후욱, 하고.

"…쏴!"

지휘관이 비명처럼 소리를 뒤늦게 질렀다. 아마도 그는 '점퍼'라는 존재에 대해 들어본 적이 있는 모양이었다. 그러나 이미 도약은 시도되었고, 성공했다. 눈앞에서 감쪽같이 인질과 함께 괴인이 사라졌다.

부하들은 발포 명령에 어디를 향한 말인지 알 수 없어서 바깥으로 총을 겨누었다. 안쪽의 상황을 알아차린 이는 적었다. 인질의 바로 뒤에서 시야를 확보하고 있던 인원이 적었다. 홍인수는 의자에 가려져 앞이나 옆에서는 잘 보이지 않았다.

갑자기 인질이 사라진 상황에, 방 속의 특수부대 인원들은 현실에 대한 인지 부적응 상태가 잠시 일어났다.

"억."

27

누군가가 멍청한 신음을 흘렸다. 자신이 무엇을 본 것일까. 잡았다고 생각했던 대통령 내외가 사라져 있었다. 지금 착시를 보는 건가?

"복도 아무 문제 없습니다! 연막탄 발견했지만 출입구 뚫린 흔적 없다고 합니다!'

한 대원이 복도쪽 문에서 소리쳤다. 지휘관은 세상에 다시 없을 표정으로 얼굴을 구긴 채, 주먹으로 집무실의 벽면을 때렸다. 쾅!

*

점퍼에게는 거리의 제약이 없었다.

더 먼 거리를 간다고 딱히 힘이 더 드는 일이 아니라는 이야기였다. 홍인수는, 한 번의 도약으로 대통령 내외를 독일 대통령 관사로 옮겼다. 이야기가 미리 되어있던 일이었다.

관사 내에서 지정해 둔 포인트로 이동하자 사람은 아무도 없었다. 베를린의 벨뷔 궁전 내에는 미리 상황을 듣고 모여 있는 장관들이 있다. 홍인수는 침착하고, 늘 하는 일이라는 것처럼 자연스럽게 대통령 내외의 팔다리를 구속하고 있는 밧줄을 끊었다.

28

윈드 브레이커의 주머니에서 꺼낸 접이식 나이프였다. 그는 옷가지 여기저기에 물건들을 잘 숨겨두는 편이다.

손쉽게 끊어진 밧줄과 풀리는 재갈로 그들이 신변의 자유를 얻었다. 벤즈의 대통령, 숏컷 머리의 준수한 외모를 가진 40대 남성, 레벤스키가 어안이 벙벙하다는 표정으로 그를 바라보고 있었다.

벤즈는 특별히 점퍼 조직의 연이 닿은 나라가 아니었다. 이런 식의 구출 작전을 접하는 건 처음일 테다. '점퍼'라는 소설 속에나 나올 법한 존재에 대한 상상도, 평소에 하지는 않을 테였다.

홍인수는 씨익 웃어 보이며 그를 향해 말했다. 벤즈 어는 알지 못했지만 영어라면 대개는 통할 테였다. 고위직에 있는 인물이기도 했고.

"각하, 여기는 베를린의 대통령 관저입니다. 독일 쪽에서 미리 맞이할 준비를 해둔 것 같으니 침착하게 잘 얘기하시고 앞으로의 일에 대해서 논의해 보십시오. 저는 어려운 일은 잘 모르겠고, 일단 마린 궁의 부대원들 정도는 처리해 드리죠."

자신을 각하라고 부른 동양인을 바라보며, 별다른 말을 못하는 레벤스키였다. 홍인수는 고갯짓으로 까딱하며 문을 가리켰다.

"문 밖에 나가서 복도 돌면 아마 대통령이 기다리고 있을 겁니다. 나가보시죠."

조금 전의 소란스러움이 거짓말처럼 느껴지는 고요한 실내였다. 여느 나라의 대통령 관저가 그러하듯, 아름다운 고풍미가 있는 인테리어였고. 레벤스키와 그의 부인 엘리사는 자신들이 꿈을 꾸는 것인가, 잠깐 생각하며 고개를 흔들었다.

그들이 다시 고개를 흔들다 정신을 차렸을 때, 홍인수의 신형이 이미 사라져 있었다.

"오 마이…."

레벤스키가 신음처럼 신의 이름을 외치려 했다.

*

홍인수가 가진 다양한 능력 중에 놀라운 것은, 상당한 수준의 공간 지각 능력이 있었다. 그는 입체적으로 움직이면서 상황을 파악하고, 거의 절대적이라는 말이 아깝지 않은 사격 솜씨를 보여주었다.

점퍼가 점프를 해내는 전후에는 관성이 사라진다. 그리고 아주 약간의 암전 상태를 겪는 텀이 있었다. 시야의 회복을, 놀라운 상상력과 공간 지각 능력으로 커버를 하고 나면, 기예보다 좀 더 놀라운 사격이 가능해졌다.

우선 홍인수는 다시 벤즈의 마린 궁, 대통령 집무실이 있는 근처로 이동을 했다. 거리의 제한은 없었지만, 점퍼들이 사용하는 능력의 연산장치라고 할 만한 것은 다양한 실제 정보를 근접 거리에서 받아들일수록 처리가 빨라졌다. 그러니까, 도약지를 더듬어서 탐색하는 기예 따위를 보이기 위해서는 가능하면 그 근처가 좋았다. 초장거리에서 그런 식으로 하려면 조금 더 시간이 걸리고 난이도가 올라간다.

홍인수는 처음에 그가 자리를 잡았던, 집무실의 벽 바깥, 복도에 등을 기대며 나타났다. 실내는 여전히 소란스러웠다. 그가 대통령 내외를 데리고 이동을 하고, 다시 돌아오기까지 고작 1분이 걸리지 않았다. 현재 러시아 쪽 병력들은 사태를 파악하기 위해 애쓰고 있는 중이었다.

어차피 그들이 할 수 있는 건 지극히 제한적이었지만. 러시아 쪽에서 자연적으로 발생한 점퍼들을 확보해서, 그들의 능력을 이용이라도 하고 있지 않은 한 대처는 불가능에 가까웠다. 이런 소규모 특수 작전에서 말이다.

더군다나 그 상대가 '홍인수'라면 그는 모든 상황을 해결할 수 있는 창과도 같은 존재였다. 조직 내에서 '마스터'라는 칭호는 아무에게나 가지 않는다. 대부분의 난관에 해결자가 될 수 있는 다양한 능력의 소유자가 얻는 이름이었다.

물론 그 자체로 나름의 부담이었기에, 홍인수는 그 이름을 좋아하지 않았지만 말이다.

다행히 그가 있는 곳에 여전히 부대원들이 없었다. 출입구 쪽으로 아예 빠지거나, 집무실 내부에서 이야기를 나누는 중인 듯했다.

리시버보다는 조금 둔했지만, 홍인수는 침착하게 도약의 시동과 취소를 반복했다. 그러는 과정에서, 홍인수의 몸의 크기만 한 공간에 대한 정보를 보지 않고도 더듬어 알 수 있었다.

수차례, 수십 차례 그것을 반복한다. 도약의 시동과 취소는 실제로 도약을 하는 것보다 더 빨랐다. 완전한 과정을 거치는 게 아니라 중도에 취소하고 다시 발동하는 것이었으니.

리시버라면 더 빨리 했겠지만, 홍인수는 이런 류를 그만큼 더 연습하지는 않았다.

곧 집무실 내부의 상황을 대략적으로 파악했다. 공간 모두를 더듬어서 파악할 필요는 없었다. 상대방의 수를 대강이나마 짐작하고, 위치를 머릿속에 그리면서 나아간다면 그보다 훨씬 빠르게 끝낼 수 있다.

애초에 상대방은 패닉에 빠질 차례였다. 한두 명 정도의 타겟을 계산에 넣지 못한다고 그가 절대적으로 위험에 처할 일은 없다.

홍인수는 내부 파악이 끝나자마자 이동을 했다.

약 1, 2분 정도의 시간이 걸렸다. 그가 복도에 가만히 서서 점프의 시도를 하는데까지 말이다. 다행이 그가 있는 쪽에 그동안 아무도 나타나지 않았다.

후욱, 하고 그가 사라진다. 그가 다음에 나타난 자리는,

*

집무실의 층고는 제법 높은 편이었다. 위쪽으로 샹들리에를 달아
두었고, 위로 높게 뻗은 직사각형의 창문에서 내리쬐는 햇살이 아
름다운 조명이 되는 공간이었다.

고개를 위로 깨나 들어야 볼 수 있는 천장 바로 아래의 허공에

서, 홍인수의 신형이 나타났다. 그는 머릿속으로 집무실 내부의 광경과, 그 안에 있는 상대 부대원들의 위치를 그리고 있었다. 눈을 감고 쏘는 것과 비슷했지만, 머릿속의 데이터가 정확하다면 때로 보고 쏘는 것보다 정확할 때가 있었다.

점퍼들은 능력에 익숙해질수록 머리에 점프 능력의 보조를 하는 연산 장치가 있는 것처럼 느끼곤 한다. 그전까지는 그 작용을 인지하지 못한 채 능력을 사용하다가, 그 과정에 관심을 두고 흐름을 느끼면서 능력이 단순하게 발동되는 일이 아니라는 걸 깨닫게 된다.

그런 중간 과정에 관심을 두고 탐구를 하며, 연습을 하다 보면, 그리고 신체적인 다양한 능력이 충족이 된다면 때로 이런 묘기가 가능하게 된다.

집무실 내부에서 러시아의 특수부대원들이 성긴 모양으로 서 있었다. 여전히 외부에 대한 경계조와 건물 내부 출입문 근처에 서 있는 조가 있었고… 지휘관과 함께 이야기를 나누며 지시를 받는 이들이 몇 있었다.

지휘관은 그의 금발을 헝클어뜨리며 욕설을 내뱉었다. 점퍼가 나타났다면 딱히 대책은 없었다. 서방 세계의 입김이 강한 점퍼 조직은, 러시아 역시 연이 닿아는 있었지만 이쪽의 의뢰에 응하지 않을 확률이 높았다. 조직은 통일된 입장을 늘 표명하니, 전쟁 중에 저쪽의 편을 들어주었다면 이쪽의 응답에는 불응할 것이다.

자국 내에서 나름대로 구축해 온 점퍼 대응법을 살려서 화망을 만드는 수밖에 없었다. 점퍼가 들어온 순간 모든 작전이 엉클어졌다. 지휘관은 신경질적으로 외부와 통신을 하고, 부대원들을 다독이며 퇴각로를 생각했다. 그러다 문득 고개를 들어 천장 부근에, 난데없는 인형이 보이는 것을 깨달았다.

특수 부대의 지휘관, '아야크 블라디미르'는 비명을 지르고 싶은 심정이 되었다.

"이런 씹."

두두두두두두. 하고 홍인수가 기계적으로 방아쇠를 당겼다. 완전 무장 상태의 부대원들이 단순한 난사로 목숨을 잃지는 않을 테였다. 해봐야 방탄 플레이트가 없는 팔다리 등 구동 부위에 얻어맞고 피나 좀 흘리겠지. 사지를 잃어버릴 위험은 있었으나, 심각한 부상이 된다고 해도 그가 있는 이상 죽는 일은 없을 테였다. 전투가 끝나면 병원에 데려다줄 테니까.

점퍼로서 얻는 능력을 활용하다 보면 가상의 맵을 머릿속에 자주 그리게 된다. 홍인수는 자신의 좌표와 방향을 생각하며 허공에서 기관단총을 갈겼다. 두두두두두두! 하는 격발음, 총성과 함께 그의 몸이 뒤로 조금 밀렸다. 순식간에 그의 몸이 떨어지기 시작했다. 일 초 근처의 시간 동안이었다.

홍인수는 시야가 회복되며 대통령 집무실의 전경이 눈으로 보일 때 즈음엔, 이미 다른 도약을 시동하고 있었다.

후욱, 하고 그의 모습이 공중에서 사라진다. 갑자기 위에서부터 날아온 총탄에 부대원들은 무방비로 당했다. 대응 사격을 할 새도 없었다. 운이 좋아 방탄 재킷에 맞은 이들은 부상이 없었고, 다른 이들은 피를 흘린다.

홍인수는 이번에는, 사각형 집무실에서 창가 쪽 모서리 천장에 나타났다.

후욱, 하는 익숙한 소리는 점퍼들을 잘 아는 이들에겐 공포스러운 전조음이었다. 익숙하지 않은 이는 난전 속에서 인식하지조차 못하지만. 지휘관은 나름대로 점퍼를 상대해 온 경력이 많은 인간이었다. 그는 미칠 것 같은 긴장감 속에서 집무실 내부 전체를 시야에 담았다. 순간 반응이 적보다 늦으면 총에 맞는다. 빠르면 간신히 반격이 가능하다.

반격을 하고도 상대가 맞는 건 확신할 수 없다. 숙련된 점퍼들은 그야말로 맞출 수 없는 속도로 근거리에서 연속 이동을 해댄다. 그리고 지금 그가 상대하는 홍인수는 여태껏 봐 왔던 이들 중 가장 베테랑 점퍼이자, 전투 요원이었다.

"으악!"

부대원들이 꼴사나운 비명을 지르며 쓰러지거나, 뒤로 물러섰다. 갑작스러운 공격에 패닉에 빠지지 않은 것만 해도 장한 일이었다. 아무리 용맹한 사내라도, 갑작스럽게 총에 맞으면 비명을 지르게 된다. 그건 인간적인 인내심으로 버틸 수 있는 일이 아니었다.

두두두두두두!

귀 따가운 총성이 다시 울려 퍼졌다. 집무실 내부에서는 먼 거리에서 들려오는 교전 소리만이 들리던 곳이었다. 기관단총의 발사음이 내부를 가득 채운다. 홍인수는 FPS에서 조준 보정이라도 받은 것처럼 무식하게 갈겨댔고, 그 총알들이 절묘하게 맞았다. 전탄 명중은 아니었으나 대부분이 상대의 몸뚱이에 박혀 들어갔다는 점에서 놀라운 묘기였다.

지휘관은 홍인수를 채 찾아서 발견하기도 전에, 이미 총성이 들리고 총알이 박혀 든 상태였다. 그의 주변을 둘러싸듯 모여 있던 이들이 총알에 나가떨어졌다. 기관단총의 위력은 강력하다. 근거리 교전에서 연발로 맞으면 아무리 방탄 플레이트를 받치고 있다고 하더라도 제 자리에 서 있을 수 없었다.

"흩어져!"

공중에서 나타나 총알을 뿌리는 사내가 있고, 부대원들이 악몽처럼 나가 떨어지는 상황 속에서 지휘관이 지휘를 내렸다. 그 말에 부대원들 중 움직일 수 있는 자들이 사방으로 움직였다. 최대한 집무실 내에서 넓게 포진한다. 홍인수는 천장에서 바닥으로 떨어지기 전에 이미 사라졌다. 지휘관은 참담한 심정을 느꼈다.

이번에 그가 상대하는 녀석은 괴물같은 놈이었다. 그가 알기로 점퍼들은 점프 능력을 제외하면 다른 사람과 다를 게 없었다. 이렇게 난잡하게 움직이면서, 총을 쏘고 그걸 또 상대에게 맞추고 있다는 건 온전히 상대방의 능력이라는 이야기다.

자신한테 점프 능력을 주고 총을 쥐어 주어도 똑같이 해낼 자신은 없었다.

지휘관이 지휘를 내렸다.

"잘 들어! 상대는 점퍼다! 순간이동 능력자야! 언제 어디에서 나타날지 모르니 전방위 주시하다가 나타나면 한 번에 갈겨! 총을

맞으면 똑같이 죽….“

지휘의 중간에 지휘관은 섬뜩한 감각을 느꼈다. 터억, 하고 그의 어깨에 누군가 손을 얹었다. 지금 그의 입장에서는 몸속을 파고드는 총알보다 더 느끼고 싶지 않은 감각이었다. 그는, 러시아군의 소령으로서 가끔 점퍼가 참여하는 특수 작전에 백업을 선 적이 있었다. 러시아군 내에서는 나름대로 점퍼에 대한 견식이 있는 편이었고

후욱,

하고 시야가 암전되는 느낌 역시 겪어 본 적이 있었다.

그가 다음 순간에 보게 된 건 알고 싶지 않은 풍경이었다. 아야크는 상상력이나, 머리 회전이 좋은 편이었다. 적대적으로 움직이는 점퍼가 자신의 몸에 손을 얹는다면 어떻게 될지 순식간에 추측할 수 있었다.

반사적으로 단체 도약의 거절을 부랴부랴 해보려고 했지만, 그는 성공 확률이 높은 편이 아니었다. 나름대로의 요령이 필요한 일이었고, 해내지 못하는 이들은 부던히 애를 써도 잘 성공하지 못한다.

아야크는 눈보다 불어오는 바람과 냄새, 소리 따위로 현재의 위치를 먼저 알 수 있었다. 도약 이후에 생기는 시각적인 텀은 단체 도약에 참여하는 이 역시 마찬가지이다. 그리고 그는 1초가 채 지나기 전 시각을 찾았을 때, 마주하고 싶지 않은 상상이 펼쳐진 걸 확인했다.

아래로 까마득한 대양이 펼쳐져 있었다. 그는 하늘을 날고, 아니 떨어지고 있었고.

"어어억."

몸이 떨어지는 기분은 영 좋은 것이 아니었다. 다양한 군사 훈련을 받은 그였지만 이런 순간의 체감은 견디기 어려웠다. 어지간한 것도 아니고, 낙하산도 없이 스카이다이빙을 하는 것이나 다름이 없었다. 특수 부대의 지휘관이 꼴사나운 모습을 보였다고 욕할 이도 없으리라. 그런 이가 있다면 아야크는 그 인간을 가장 먼저 낙하산 없이 헬기에서 밀어버릴 성격이었다.

점프의 전후에는 관성이 없다. 그는 허공에서 천천히 추락하기 시작했다. 낙하 훈련 따위는 질리도록 받아봤지만, 이토록 끝없는 추락은 정신적인 데미지가 더욱 심했다. 죽음을 기다리기까지 한참이 걸린다.

그런 아야크의 뒤에는, 사이가 좋은 형제처럼 팔로 몸을 휘감아 안고 있는 홍인수가 있었다. 그는 아야크의 얼굴을 천천히 살피더니 이야기했다.

　"거, 보니까 생각이 나는 것도 같습니다? 4년 전에 러시아 테러리스트 작전에서 있었던 아야크 소령 아닙니까?"

　자연스럽게 영어로 말을 걸지만 아야크는 알아들었다. 다만 고개를 끄덕이고 차분히 대화를 할 정신은 없었다. 그가 간절하게 소리쳤다.

　"빌어먹을! 마스터! 너였구나! 살려줘!"

　아야크 역시 홍인수의 말에 그를 완벽히 기억해냈다. 점퍼는 충격적인 기억이었다. 스쳐 지나가듯한 모습이 아니라 그의 목소리를 듣고 바로 옆에서 모습을 보자 알아볼 수 있었다. 홍인수가 쓴 헬멧은 비교적 얇고, 안면을 가리는 부분이 투명한 재질이었다.

　홍인수는 자유롭게 자유 낙하를 하면서 말한다. 헬멧 너머라 평소보다는 목소리를 키워야 했다. 고오오오, 하고 바람이 강렬하게 귓가에 쓸리는 소리가 났다. 그들은 어느새 전방으로 미끄러지듯 유영하며 추락했다. 알지 못하고 본다면, 평범하게 스카이다이빙 중인 모습처럼도 보였다.

"아니, 그런 말은 댁 내 대통령에게나 가서 하시고…. 나한테 왜 이럽니까. 전장에서 만난 사이끼리."

순식간에 가속도가 붙은 그들은 질주하듯 아래로 떨어졌다. 지구가 그들을 끌어당기고 있었다. 이대로 간다면 그리 멀지 않은 미래에 대양의 한 가운데 추락할 테였다. 이 정도의 높이라면, 어떤 곳에 떨어진다고 해도 그대로 즉사였다.

"빌어먹을! 자네 조직은 불살이 원칙일텐데! 제발! 알고 있는 걸 모두 털어놓지!"

러시아군의 엘리트 소령이라고 하기에는 변변찮은 대사였다. 다만 홍인수의 마음에는 들었다. 점퍼 조직의 원칙이 불살은 아니었다. 가급적이면 생명을 존중하자, 는 정도였지. 정말로 급한 상황에서 적군의 목숨을 일일이 보장할 수는 없었다. 그들의 목숨 역시 보전하기에 바빴기에.

그리고, 또한 점퍼 조직이 전 세계 방대한 범위의 국가 수뇌들에게 연이 닿아 있으며 비교적 중립적인 조직이라는 걸 알고 있는 아야크는 빠르게 협상안을 제시했다. 점퍼 조직이 딱히 러시아의 국익에 반하는 적성 조직은 아니었다. 도리어 상황만 바뀌면 언제든지 손을 잡고, 도움을 요청할 수 있는 제 3의 세력같은 것이었지.

이렇게 무력하고, 꼴사납게 죽는 것보다는 점퍼 조직과의 협상을 통해 본국으로 돌아가는 것이 그의 목표에 합당했다. 어떻게든 살아남아야 한다, 는 전제를 소령은 빠르게 세웠다. 37세의 나이, 아직 자신의 인생을 끝내기에는 가야할 길이 많은 시기였다.

"어차피 소령에게 많은 걸 기대하지는 않습니다. 전쟁의 대세에 영향을 줄 수도 없을 테고…. 직접 러시아 대통령을 겨누면 그건 세계적 협약에 위배 되는 일이기도 하고…."

홍인수가 혼잣말처럼 중얼거렸다. 가속도가 붙은 시점에서 어지간한 소리는 잘 들리지 않았다. 빠르게 추락하는 와중에 거센 바람 소리가 그들의 귀를 막는다.

점퍼들이 마음을 먹고 노린다면, 그들은 '암살'이라는 방법을 핵무기처럼 사용할 수 있었다. 공식적인 석상 등에 나타나는 순간 언제든 요인을 마음대로 요리할 수 있는 것이다. 이를 위해 각국의 수뇌들은 점퍼 조직과 협약을 맺었다. 적대적 관계가 되더라도, 각국의 수장들을 향한 직접적 순간이동 암살은 금하기로.

점퍼들은 수가 적었고, 그들의 두 손으로 들 수 있는 짐은 한계가 있었다. 세계적 대세를 만들어가기에는 무리가 있는 조직이었으

44

며, 그저 중요한 기로에서 평화적 선택의 도우미가 되는 정도로 자신들의 역할을 제한해야 했다.

뭐 물론, 단순한 협약이었고 어떤 미친 국가의 수장이 핵폭탄을 발사하고 세계 대전을 일으키려 한다는 정보가 접수된다면 곧바로 날아가서 납치를 해 올 것이기는 했다.

"순순히 협조한다는 건 좋은 일입니다. 잠깐 주무시고 계시죠."

홍인수는 그 말을 끝으로 얼마간 같이 추락했다. 아야크는 제대로 듣지는 못했으나 홍인수가 그의 제안을 수락했다는 기색은 알아챘다. 땅 위에서 보면 그야말로 점으로나 보일까 알 수 없는 고도에서, 그들은 얼마간 추락인지 비행인지 알 수 없는 것을 하다가 사라진다.

후욱, 하고 홍인수가 다시 도약했다. 푸르른 하늘의 어느 자리에서 모습을 감춘다.

*

아야크를 허공에서 조금 괴롭히고, 진을 빼둔 뒤에 기지로 이동했다. 그는 기지의 점프 포인트가 되는 밀실에 그를 두고 소지하는 마취제를 뿌려 기절시켰다. 밀실에 위치한 벨을 누르면, 기지 내에서 대기하던 대기조원들이 달려온다. 그들에게 비점퍼 구속을 부탁하고, 다시 사라졌다.

*

*

홍인수는 멀리 마린궁이 보이는, 게이브의 시내 한 골목에 나타났다. 그가 처음 벤즈에 모습을 드러낸 자리였다. 그는 이곳 골목에 자신이 자주 사용하는 현장용 장비 키트를 내려 두었다.

잘 보이지 않는 그늘에 숨겨둔 더플백이었다. 사람들이 지나다니지 않는 거리라서 움직이는 것 없이 한가롭다. 다만 조금만 고개를 들면 긴박하게 움직이는 마린 궁 내외의 군인들이 있다. 멀리서 들려오는 교전의 총성이 시끄럽게 울린다.

홍인수는 허리를 숙여 그것을 슬쩍 집어들었다. 제법 묵직한 무게다. 다양한 장비들이 들어 있었고, 소재는 화약과 철이다. 가벼운 합금으로 만들어진 물건도 있었으나 무게는 꽤 나가는 편이다.

그는 지퍼를 열어 몇 개인가를 꺼내 들었다. 꺼내든 것은, 부착용의 소형 폭탄들이었다. 한 손아귀에 두세 개씩을 집을 수 있을 만큼 소형이었다. 네모난 플라스틱 박스나, 조각들로도 보인다. 정확히 한 쪽 면에 접착부가 있었고, 무게 중심이 쏠려 있어서 적당히 던지면 대강 붙는다.

직접 다가가서 붙인 뒤, 나중에 기폭해도 문제는 없다. 검은색의, 작은 물건이라 주의를 기울이지 않는다면 전장 중에 찾기도 어려워 보인다.

홍인수는 그것들을 몇 움큼이나 집어서 주머니에 넣었다. 간단한 발신 장치로 터지는 물건들이다. 반대로 신호를 보내기 전에는 잘 터지지 않는 내구성을 지녔다.

발신 장치는 그가 평소에 자주 사용하는 통신기와 연동이 되어 있었다. 기지 내에서 연락을 받을 때도 사용하고는 하는 물건. 여러 모드가 있었는데, 전장에서 쓸 때는 소형 폭탄 따위의 기폭 장치로 써먹곤 한다.

그는 일단 한 번 도약을 했다.

그늘에서 그의 신형이 사라졌고, 그는 눈 한 번 깜박일 정도 사이에 마린 궁에 한껏 다가간 장소에 서 있었다. 교전 지역이 비교적 한눈에 보이는 근처 건물의 옥상이었다. 이 정도만 되어도 사실 도탄이나 오인 사격에 대한 위험이 있었다.

두다다다다! 하고 시끄럽게 내부 화약이 납탄을 발사하는 소리가 들렸다. 한두 정도 아니고 십 수정이 동시에 불꽃을 뿜는다. 아까는 제법 멀리서 들렸던 총격전이 훨씬 현실감을 더한다. 귀가 따갑다.

헬멧은 방음 효과에는 그다지 충실한 모델이 아니었다. 소음이

싫다면 따로 귀마개를 준비하는 편이 좋다. 홍인수는 별로 신경 쓰는 편은 아니었지만.

대충 멀리서 각을 딴다. 점퍼로서 능력을 최고조로 발휘하는 순간에는, 시각적인 정보를 받아들이는 기능이 많이 향상된다. 공간 지각 능력이 다소 향상되는 경향이 있는 것이다. JE에 접하고 자주 사용할수록.

그리고 점퍼들이 사용하는 도약은, JE로 이루어진 가상의 연산 장치가 돕는 것과도 비슷하다. 홍인수는 모든 각도에서 시설을 볼 수는 없었지만 대강의 구조도를 머릿속에 넣으며 좌표를 구했다. 정확히는 그냥 알게 되는 것에 더 가깝다.

확실한 백업팀이나 훌륭한 규모의 시설 장비가 있다면 굳이 이럴 필요 없이, 현장 정보를 3D 데이터로 홍인수에게 바로바로 전해주기도 한다. 그러나 그러지 못할 때라도, 늘 방법은 있다는 것이었다.

대강의 상황은 파악했다. 아직도 벤즈의 부대는 마린 궁 건물 내부로 진입을 하지 못하고 있었다. 러시아군이 가져온 장비들의 화력이 제법 막강했다. 뒤를 신경 쓰지 않고 탄약을 소비하면서 공성전을 벌이는 모양이었다.

아마 레벤스키 대통령 내외를 인질로 잡고 있었으니, 거칠 게 없었을 것이다. 만약의 경우에는 인질의 신변을 위협하면서 탈출할 수도 있을 것이고, 혹은 다른 지원을 약속받았을 수도 있다.

그러나 어쨌든 러시아 특수 부대의 작전은 실패로 돌아갔다. 벤즈의 대통령 내외는 무사히, 독일의 대통령 관저로 옮겨졌고 이제 유럽의 수장들과 이야기를 하고 다시 이곳으로 돌아올 테였다.

홍인수가 해줄 수 있는 건 이제 이 상황의 마무리 정도였다. 전장 전체를 옮겨 다니면서 전쟁의 향방을 결정 짓는 것은 못할 짓이었다. 그 역시 인간이었고, 한계가 있었으니. 그러나 특수한 능력들을 개발한 사람이었고, 그것들을 함께 발휘한다면 이 장소 정도는 정리가 가능하다.

마린궁은 외곽을 둘러싼 담장을 넘으면 건물 가운데 광장같은 공간이 있고, 돌입하기에 그다지 어려운 곳은 아니었다. 다만 러시아의 특수 부대가 작정을 했는지, 끌고 온 전차 따위로 바리케이트를 쳐놓고 화력을 쏟아부으며 농성을 벌이고 있었다.

어지간한 소총탄으로 전차의 장갑을 뚫을 수는 없었다. 결국 대규모의 화력이 필요하나 그것을 가져오면 국가의 역사적인 건축물이 붕괴한다. 그것을 넘어서 내부에 대통령 부부가 어떻게 될지도 알 수 없었다.

결국 상대의 보급이 끊길 때까지 지루한 소모전을 반복해서, 말려 죽이는 것이 가장 안전하고 확실한 방법이었다.

벤즈의 부대들 역시 장갑차 따위를 끌고 오거나, 도시의 시설 자재들을 쌓아두고 바리케이트를 쳐놓고, 거리를 둔 채 총격전을 벌이고 있었다.

러시아 쪽 군사들의 반격이 잠잠해지면 돌입할 생각인 모양이었다. 우회해서 건물의 후면 창문을 통해서 돌입을 하려 해도, 내부에 있는 특수부대원들의 경계가 만만치 않은듯했다.

마린 궁은 전면에서 관측하면 길다란 직사각형 모양이 좌우로 퍼져 있고, 가운데엔 곡선이 아름답게 만들어진 조형물이 장식미를 더하고 있는 모양이다. 전체적으로 청록빛의 색깔을 띄고 있었고, 높이는 한 5층 정도 되어 보이는 건물이다. ㄷ자 모양의 들어간 부분이 정면을 향하고 있는 모습이다.

딱히 총격전을 상상하지 않았을 그런 건물에서 소총이나 기관단총 따위를 갈겨대고 있으니, 건물의 외장재나 창문 따위는 이미 박살이 나고 있었다. 수리가 가능한 수준의 상처였지만 방아쇠를 누르면서도 마음이 쓰린 건 어쩔 수 없었다. 벤즈 쪽의 부대원들은 말이다.

홍인수는 일단 그 점을 해결해주기로 했다. 핀포인트로 바리케이트를 넘어서 소규모 폭발을 일으키는 건 현재 벤즈쪽 부대 상황으로는 어려운 일이다. 다만 그라면 가능했다.

러시아 군이 대동한 전차는 꽤 규모가 있었다. 마린 궁 건물 현관을 틀어막고 있는 한 대, 조금 앞으로 나와서 광장에 자리를 잡고, 부채꼴의 변처럼 바리케이트를 만들고 있는 두 대. 그리고 정문과 ㅅ자로 대어진 전차 사이에 정차된 한 대.

광장 중앙부를 지나는 선 위에 네 대가 있었고 건물의 우측 좌측에도 한 대씩이 정차되어 있어서 그쪽에서도 사격이 날아든다. 또한 건물 내부의 창문 여러 곳에서도 엄호 사격이 이어지고 있었다.

벤즈 쪽도 부랴부랴 만들어낸 바리케이트로 대응 사격을 하고는 있지만 마땅한 진척을 내지 못하는 상황. 전차를 이용해서 광장 내부로는 들어갔지만 거리를 좁히지 못하고 있었다. 우선 홍인수는 정문에 폭발을 일으키기로 했다.

그는 가볍게 공간 도약의 시행과 취소로 사각지대의 정확한 모습을 더듬었다. 점퍼에 대한 경험이 없는 부대원들은 난전 중에서 그것을 깨닫지 못했다. 의식적으로 인지하지 못한다면 아무것도 없는 것처럼 느껴지는 수준의 존재감을 가진다. JE는. 그것을 몇 차례 반복한 그가 도약했다.

후욱, 하고 그가 마린 궁의 전경이 보이는 어느 옥상에서 사라졌다. 그의 손과 주머니에는 네모난 소형 폭탄들이 잔뜩 쥐어져 있다.

다음 순간 홍인수는 정면을 바라보고, 뒤로는 마린 궁의 목제 현관을 둔 채 사격에 열중하고 있는 러시아 병사들의 사이로 이동했다. 마린 궁의 목재 정문에 딱 기대어서 나타난 그를 순간에 알아채는 이는 아주 적었다. 총성이 울리고 납탄이 빗발치는 상황에서 충분히 그럴 수 있는 일이었다.

홍인수는 나름대로 전신 무장을 갖추었기에, 눈먼 총알에 죽을 일까지는 걱정하지 않았다. 죽을 만큼 아플 일은 있을 수 있겠지만.

도약지의 모양을 머리로 상상하면서 나타난 그는 눈이 회복되기도 전에 손을 뻗어 움직였다.

손에 들린 네모난 폭탄들을 휙휙 던지자, 목재 문에 곧바로 접착이 되었다. 여기저기 아무 데나 잘 붙는 녀석들이었다. 건물의 외벽을 무너뜨리고 진입할 때도 곧잘 사용 한다.

그리고 다시 반 회전 해서 병사들을 바라본다. 그때 즈음에는 이미 시야가 회복하고 있었다. 홍인수는 이미 알고 있던 위치를, 눈으로 재확인하며 폭탄을 던졌다.

가볍게 팔 힘만으로 날리는 폭탄이었으나 괜찮은 명중률로 제법 빠르게 날아갔다. 약간의 노력만으로 가능한 일이다. 전쟁 중에, 총알 속에서, 폭탄으로 한다는 사실들만 뺀다면 누구나 할 수 있는 정도의 운동이었다.

그가 가져온 폭탄은 15개였다. 정문에 네 개를 붙였다. 사실 이 정도만 하더라도 차고 넘친다.

그가 시야로 재확인 했을 때 정문과 전차 사이에서 총격전을 벌이는 러시아 군인은 다섯 명이었다. 그는 사이좋게 그것을 러시아 군인의 방탄 재킷의 등판에 하나 붙였다. 아마, 죽지는 않을 것이다. 등에 화상 정도는 입겠지. 풀페이스 헬멧을 끼고 있으니 폭약의 반동으로 어디에 머리 박고 죽지도 않을 테고.

여러 개가 모였을 때 위력을 발휘하지 하나만으로는 드라마틱한 효과는 없는 폭탄이었다.

그는 사이좋게 다섯 명의 등판에 하나씩 날려서 폭탄을 부착했다. 턱, 하고 무언가가 날아와 닿는 느낌은 다소 이질적인 것이었다. 전면에서 총격전이 벌어지고 있는 극한의 상황 속에서도 문득 생각한다면 느껴볼 수 있는 감각이다.

한 명이 교전 중에 뒤를 돌아보았다. 그는 전쟁터에 양복과 바람막이 재킷을 입고, 헬멧을 뒤집어쓴 괴인이 손을 벌리는 걸 발견했다. 홍인수는 나머지 폭탄을 포물선을 그리듯 위로 뿌렸다. 장갑차의 외벽, 전면부에 전부 붙인다. 이 정도쯤 모이면 다소 극적인 효과가 나타나기도 하는 물건이었다. 그리고 상황을 인지하기 어려워하다 병사가 총구를 돌렸을 때, 홍인수는 이미 사라져 있었다.

홍인수는 다시 마린 궁의 전면부가 보이는 옥상에 서 있었다. 그는 바지춤에서 통신기를 끄집어 내서 망설임 없이 모드를 설정하고 버튼을 눌렀다. 평소에 연락을 위한 모드가 있었고, 교전 중에 폭약 조작을 위한 모드가 있었다. 모드만 조작하면 발동은 아주 간단하다. 버튼 하나만 꾹 누르면 될 정도로.

콰-앙! 하고 여러 개의 폭탄이 한꺼번에 굉음을 발휘했다. 하나하나만을 따지면 그다지 크지 않은 위력과 소리지만, 한 번에 터지게 되면 전장에서도 눈에 띄는 효과를 보여주는 녀석이다.

일단 마린 궁의 현관으로 시선을 돌려보면, 고풍스럽고 두꺼운 목재 현관이 통째로 날아갔다. 궁 내부로 들어간 그것이 아직이 나면서 1층의 홀을 어지럽혔다. 근처에 있던 병사 하나는 큼지막하나 파편에 맞아 바닥에 엎어졌다.

폭약의 충격은 외부로도 다소 뻗어 나갔다. 완전 무장을 한 병사들에게 치명적인 수준은 아니었다. 다만 그들 등짝에 붙어 있는 폭탄이 같이 터졌기에, 동시에 무력화되었을 뿐이다.

병사들은 폭발과 동시에 앞이나 뒤로 날아갔다. 자신이 바라보고 있는 방향으로 빠르게 힘을 얻어 날아가 장갑차 외벽에 박거나 바닥에 쓰러졌다.

중무장으로 껴입은 방탄 플레이트나 풀페이스 헬멧이 그들을 보호했다. 죽지는 않았지만, 강렬한 충격에 한동안 일어서지 못했다. 당장 움직이거나 교전을 할 상태는 되지 못한다.

장갑차에 붙어 있던 폭약들은 다소 드라마틱한 장면을 보여주었다. 일곱 개가 한 번에 터지자 굉음과 화약이 뻗는 것이 멀리서도 보였다. 장갑차의 전면부에 극적인 상처가 났다. 완전히 뚫리지는 않았으나, 소총으로 집중 사격을 퍼부으면 금세 뚫릴 만큼 너덜너덜해진 모습이다.

다소 큰 녀석으로 여러 개를 쏠면 전차들을 다운시킬 때 아주 좋은 물건이었다. 가까이 붙는 게 어렵다는 면에서 난점이었지만,

전장에 익숙한 점퍼가 사용한다면 순식간에 모든 전차를 전장에서 침묵하게 만드는 물건이었다.

쾅앙- 하는 화약의 폭음과 함께 벤즈의 병사들은 잠시 당황했다. 그들에게 유리한 상황의 변화였지만 그 과정이 이해가 가지 않았던 탓이다. 다만, 러시아 쪽의 병사들보다는 덜 놀랐다. 어찌 되었든 변고가 생긴 것에 희망을 품으며 그들이 사격을 더 쏟아부었다. 러시아 군은 무전으로 상황 보고를 하고 이해를 하기 위해 애를 썼다.

다른 쪽에서 소리를 쳐보았지만 정문에 있던 다섯 명은 완전히 의식을 잃었다.
홍인수는 곧바로 다시 움직였다.

어차피 내부를 정리하면 외부에 나와 있는 몇 명은 금세 탄을 소비하고 제압되게 마련이었다. 그는 벤즈의 군인들이 잘 상대를 해줄 거라 생각하고 궁 내부로 진입했다.

눈에 보이지 않는 복잡한 건물의 내부 사정을 체크 하는 건 조금 시간이 걸리는 일이었다. 그는 건물 옥상의 사각에 몸을 가린 채 다소 복잡하게 점프를 시도하고 취소했다.

그가 머릿속에 넣어 둔 마린 궁의 내부 지도가 있었다. 그것과 대조하며 점프를 이용해 내부에 움직이는 이들을 확인했다. 당장 현관으로 들어가 홀에는 몇 명이 없는 듯하다. 장소 전체를 탐사할 필요는 없었다. 한두 방 정도에 뚫릴 방탄복도 아니었고, 한 번에 눈에 담는 것이 훨씬 빠르기도 하다. 대략적인 측정과 추리 끝에 그가 한 번 도약한다. 손에는 폭탄을 쓰느라 잠시 자리에 내려놓았던 기관단총을 다시 들었다. 장전을 마친 상태다.

후욱, 하고 그가 사라졌고,
마린 궁 1층 홀에 나타났다.

그는 1층에서 2층으로 올라가는 나선형 층계의 그늘 사이로 이동했다. 위로는 샹들리에가 달려 있었고, 양옆으로 복도가 이어지는 구조이다. 양옆 끝으로 가서 작은 계단을 이용하거나 중앙 계단을 통해 위층으로 이동한다.

홍인수는 시야를 회복하자마자 빙글 몸을 돌려 홀에 진입했다. 상대 병력은 현관에서 일어난 폭발을 확인하느라 정신이 없었다. 갑자기 쓰러진 동료들을 살피기 위해 다가가는 이들도 있었고, 경계에 힘을 쓰는 병력도 있다. 대부분 맥락이 없는 공격과 폭발에 다음 상황을 가늠하지 못하는 상태다.

주광 빛의 아름다운 조명이 실내를 밝히고 있다. 밖에서 들어오는 햇살 때문에 흐리지만 건물 내부는 나름의 분위기를 가진다. 거친 전쟁 꾼들이 있기에는 썩 어울리지 않는 장소였다.

홍인수는 홀 내부를 살폈다. 11명. 러시아군 병력은 1개 중대라도 참여한 것인지 제법 인원이 많았다. 그가 대통령 집무실에서 확인한 병력도 십 수 명은 되었다. 층마다 그 정도의 인원들이 사주경계를 하고 있다면 깨나 피곤한 작업이다.

어쨌건, 거리를 넘어서 상대를 무력화시키는 간단한 도구가 있기에 해볼 만한 일이기는 하다. 보통은 죽지만, 무장 위를 때리면 쓸데없는 사상자는 나오지 않을 것이다. 아마도. 그 이상은 그도 봐주기가 힘들었고.

따다다다당!

홍인수가 난데없이 기관단총을 갈겼다. MP5다. 그가 자주 써서 손에 익은 물건이었다. 확장 탄창으로 일반적인 경우보다 조금 더 길게 연사를 날린다.

연사였지만 조준된 발사이기도 했다. 한 십여 발 정도씩, 상대의 모습을 확인하고 방향을 바꾸어 골고루 갈긴다. 현관문 근처에 셋. 우측 창문에서 사격 중인 둘. 좌측 창문에서 경계중인 둘. 홀 가운데서 상황 파악하고 연락 담당인 듯 무전기를 들고 있는 하나. 그 조금 옆에서 병사들에게 손짓하는 소대장처럼 보이는 인물 하나.

그리고 마침 몸을 돌려 계단 쪽으로 손을 놓고 다가오던 둘.

먼저 다가오던 인원들에게 십여 발을 선사해줬다. 그다음은 연락
담당과 소대장. 그들이 넘어지고 현관 쪽을 쏘다가 홍인수가 다시
사라졌다.

그는 순식간에 홀 좌측 내벽에 붙은 채 모습을 드러냈다. 점퍼
의 장점이자, 상대자들에게 단점은 이것이었다. 교전에 익숙한 점
퍼는 조준을 하기조차 어렵다. 인간의 반응 속도의 한계를 확인하
듯 위치를 바꾸었고, 그 사이에 맥락이 전혀 없었다. 진열을 갖추
고 내부 전체를 시야에 둔 뒤, 화망이라도 구축해서 쏴야 상대할
만했다. 제각기 다른 방향을 보고 있다가 당하면 답도 없는 일이
다.

그는 좌측에서 대각선 방향으로 겨누어서, 현관 쪽에 셋을 마저
마무리했다. 그리고 근처에서 보이는 좌측의 둘을 마무리하고, 우
측 방향에서 총을 쏘던 이들이 그에게 총구를 돌릴 때쯤 다시 사
라진다.

후욱, 하는 전조음은 그들에게는 들리지도 않는다. 노련한 점퍼,
JE에 지나치게 익숙해지고 예민해진 감각을 가진 이들만이 전쟁터
에서 느낄 법하다. 홍인수는 샹들리에의 위에 모습을 나타냈다. 강
철 따위의 소재로 만들어진 건지, 샹들리에를 지탱하는 줄은 제법

튼튼하다. 홍인수는 그 위에 자연스레 보지도 않고 줄을 잡은 채 무릎을 꿇었고, 앉아 쏴 자세로 우측 창문에 붙어 있던 둘에게 마저 총알을 퍼부었다.

적당히 쏴도, 팔다리가 아니면 치명상은 아닐 테였다. 행동 불능 정도는 잠시 오겠지.

교전에서 완전히 탈락되기를 원했기에 차분하게 갈겨 주었다. 그들은 비명을 지르면서 쓰러졌다. 특수 부대원들도, 총에 맞는 건 여전히 두렵다. 그걸 이겨내며 침착하게 훈련 받은 동작들을 수행할 뿐이었지.

이런 경우에는 대항할 방법조차 마땅찮다.

차분한 사격으로 홀 인원들을 정리한 그는, 샹들리에 위에 앉은 채로 탄을 갈았다. 삐걱대며 조금 흔들린다. 그 위에서도 중심을 잃지 않고 양손을 이용해서 금세 탄창을 빼고, 다시 끼운다. 양복 안쪽 주머니에는 온통 탄창 뿐이다.

드륵, 철컥하며 순식간에 재장전을 마치고 다시 움직인다. 발걸음은 아니었고, 도약으로 인한 것이다. 그는 3층만 정리하고 바로 집무실로 돌입할 생각이었다. 전체를 제압하지 않아도, 적 부대의 연계만 끊어 놓으면 바깥에서 압박하는 벤츠 부대들이 안정적으로 처리를 할 테였다. 그 정도도 못한다면 특수 부대가 아닐 것이다.

  *

　홍인수는 그대로 건물의 구조도를 떠올렸다. 대략적인 모양은 머릿속에 있었다.

　복도의 양쪽 끝에 코너가 있었다. 앞으로 튀어나온 건물의 양측이었고, 중앙에도 앞으로 튀어나온 부분이 있었다. 3층 역시 매 층과 똑같은 구조로 코너를 돌아 중앙 복도와 방들, 회랑이 나타난다.
　전체적으로 안으로 패인 ㄷ자 형태의 건물이었고, 그 중앙이 다소 두꺼운 너비를 지닌다.

　방들이 포함된 중앙 건물의 폭이 제법 넓은 편이었고, 중앙 계단을 통해 위층으로 오르면 복도가 나타난다. 건물의 전면부와 후면부로 방이 나뉘어져 있었고 그사이에 복도가 있다.

　전면부의 창문과 이어지는 방과, 건물의 뒤를 돌아 후면의 창문과 이어지는 방들이 있어 그곳에서 러시아군의 부대원들이 야외를 경계하고 엄호 사격을 하고 있었다.

작전에 참여한 러시아 부대의 규모를 짐작해보면, 한 층에 그렇게 많은 인원들이 있지는 않을 테였다. 최대로 상정해도 7-80명 정도. 이들은 소규모 특공대에 가까웠고 지원을 받아 빠져나가거나, 혹은 대통령의 신변을 통해 상황의 반전을 노리는 게 목적이었다.

바깥에서 교전중인 이들이나, 집무실 내부의 인원들을 제외하면 한 층에 열 명을 넘지 않으리라 생각하는 게 일반적인 추리였다.

홍인수는 무작위 포인트로 몇 군데를 도약하기로 하다가, 취소했다. 걸리는 곳은 없었다. 전면부 창문 근처에서 사격 중이리라 생각되는 곳이나, 복도를 조금 살폈는데.

그렇다면 일단 돌입한다. 전장에 몸을 담는다면 어차피 확실한 건 없었다. 모두가, 총을 들고, 방탄복을 입고, 그다음에 돌격하는 것이다. 어차피 목숨을 걸고 하는 일이었다.

후욱, 하고 그가 샹들리에 위에서 사라졌다. 널브러진 1층 홀의 특수부대원들은 다시 움직이기는 힘들어 보였다. 개인당 몇 발이나 되는 총탄을 맞고, 팔다리에 부상을 입은 채 피를 흘리고 있다.

전투가 장기화되면 아마 목숨을 잃거나, 지금으로도 맞은 곳에 따라 후유증이 심할 것이다.

*

궁의 구조는 1층을 제외하고는, 층별로 구조가 같았다. 내부의 방들은 크기도 제각각이고 위치가 조금씩 달랐지만, 적어도 복도의 구조는 같았다.

그는 5층 집무실에 돌입할 때처럼, 건물의 좌측 복도 코너에 등을 기대며 모습을 드러냈다.

시야가 회복되지도 않았으나 반사적으로 몇 군데, 그의 위치에서 보일법한 몇 군데를 도약의 시도로 더듬었다. 3층 복도의 코너에는 아무도 없었다. 건물 내부로 돌입한 적이 없다고 생각되기에 그렇게 배치한 모양이었다.

시야가 돌아오자 곧바로 고개를 코너로 내밀어 복도를 훑었다. 내부는 주광빛의 조명과, 금빛 혹은 붉은 빛으로 장식된 내부 인테리어가 조화를 이루어서 고급스러운 분위기를 만들어 낸다.

특히 궁 내부 복도에 깔린 붉은 카펫이 밟기 황송할 지경이었다.

긴 복도에는 몇 명인가 인원들이 있었다. 앞뒤의 방에서 외부 경계를 맡는 인원들과, 그들 사이를 오가며 유동적으로 움직이는 이들이었다.

일단 복도에 나와 있는 건 두 명. 전면부로 창이 난 방은 문이 열려 있었다. 홍인수의 위치에서 바라보면 복도 중간이라, 한 30, 40m 즈음 되어 보인다.

그리고 그 정도면 대부분의 사격을 전탄 명중시킬 수 있는 거리였다. 상대가 다소 움직이고 반응하는 것까지 합쳐도 말이다. 그는 기습의 이점을 살렸다.

상대의 위치가 확인되자마자 그는 반회전하며 몸을 돌렸다. 총탄은 장전이 끝났고, 발사준비를 마쳤다. 방아쇠만 당기면 된다. 그는 기관단총을 격발시켰다. 두두두두두두! 하고 무식한 쇳소리가 울린다.

1초에 10발이 넘는 납탄이 날아간다. 두 명을 무력화 시키기에는 충분한 분량이었다. 연사는 계속되지 않았고, 한 명에게 충분히 퍼부었다 싶으면 잠시 끊어졌다 조준을 맞춘 뒤 다시 연사했다.

"끄아악!"하는 비명은 그다지 각색해서 들려줄 것 없는 민낯 그대로의 소리였다. 전장터에 나서는 군인들은 영웅이었지만, 동시에 나약한 인간이었다. 나약하고 겁많은 인간들이 목숨을 걸고 발을 디뎠다는 것에 영웅적인 의미를 더할 뿐이다.

홍인수 역시 마찬가지인 입장이었다. 비교적 현대전에 참여하는 상대들에 비하면 근미래에 가까운 장비들의 혜택을 받지만 총에 맞으면 쓰러진다. 잘못 맞으면 죽고.

사격 솜씨가 유달리 뛰어난데다, 공간이동을 좀 할 뿐이었다.

그가 두 명을 제압하는 데 몇 초 이상은 걸리지 않았다. 열린 문에서 고함이 터지며 총알이 날아왔다. 복도쪽으로 열리는 멋들어진 목재 문이었고, 그 문 너머에서 바로 쏘는 사격이었다.

목재 문이 방탄 역할을 해주지는 못하지만, 적어도 쏘기 전까지 상대의 모습은 가려준다. 홍인수는 다시 코너 너머로 몸을 숨겼다.

점프로 몇 군데 중요하나 부분들을 체크해본다. 2, 3초 이상 걸리지 않는 일이다.

바깥쪽으로 열린 문의 바로 뒤, 그리고 열린 방 안의 창가나 구석 자리들 따위.

벌컥, 하고 문이 열리는 소리가 들리는 듯했다. 반대쪽의 방문 역시 열리며 인원들이 뛰쳐 나오는 듯하다. 외부 경계보다 우선 내부에 침투한 적을 처리해야 할 테였다.

"습."

그는 잠시 숨을 삼키며 도약했다. 긴장감은 그 역시 가지고 있다. 그것 때문에 제대로 동작을 수행해내느냐, 못하느냐는 별개의 문제였지만.

우선 그가 봤을 때 우측, 곧 건물 전면부에 접한 방 안으로 도약한다. 그의 신형이 사라졌다.

시야를 회복하기까지 걸리는 시간이 초 단위는 아니었다. 아주 잠깐의 틈일 뿐이다. 한 순간 사이에 목숨이 갈리는 전장터에서 충분히 치명적인 틈이었지만, 상대의 허를 찌른다면 의외로 또 극복할만한 틈이다.

홍인수는 방의 구조를 대충 알고 있다. 그리고 점퍼 특유의 맥락 없는 이동성을 활용했다. 그는 방 안, 모서리 부근의 천장에서 도약으로 모습을 드러낸다.

허공에 소리도 없이 나타난 그를 순식간에 발견하고 총을 쏠 이는 많지 않았다. 그가 채 바닥에 떨어지기 전에 시야가 회복된다.

누군가 괴성을 지르면서 그를 바라보았다. 바깥쪽으로 대부분의 시선이 쏠려 있었고, 한 명 정도가 복도 쪽의 문 근처에 있다가 그를 발견했다.

그는 한눈에 시각 정보를 받아들였다. 그리고 다시 곧바로 점프를 준비했다.

공중에서 몸을 뒤트는 건 다소 어려운 일이었다. 평소에 그가 단련하는 것도, 이런 동작 따위들을 수행하기 위해서였다. 그가 떨어지는 와중에 문 쪽으로 총구를 돌려 방아쇠를 당겼다.

투다다다다다! 기관단총이 얼마간 총알을 쏟아낸다. 목재 문 앞에 서 있던 한 명이 사격을 맞으며 반사적으로 대응을 한다. 적이 들고 있는 건 조금 길이가 긴 소총이었다. 그것이 총알을 뱉어낼 때 홍인수는 다시 모습을 감춘다.

다행히, 타이밍이 잘 맞아 납탄이 몸에 박히지는 않았다. 방탄 재질의 옷을 입고 있다고 해도 맞는다면 더럽게 아프고 후속 동작에 제약이 가해진다. 점퍼의 전투는 아슬아슬한 외줄 위를 나르는 묘기꾼의 기술이랑 비슷했다. 흐름을 타면 끊임없이 이어지며, 빠르게 몰아쳐야 했다.

홍인수가 다음 호흡에 나타난 자리는 같은 방 안이다. 그는 복도쪽 문에 모여 있는 요원들을 바라보고, 대각선 방의 안쪽에 나타난다. 대각선 방향으로 그들을 겨누는 위치다.

그는 한 번 눈으로 상대의 위치와 구조를 파악했기에, 시야가 회복되기도 전에 먼저 움직이고 방아쇠를 당겼다. 투다다다다! 하고 공이가 탄을 때리고 화약이 터지며 납탄이 날아간다.

그는 리시버만큼 공간 지각이 빠르고 압도적이지는 못했다. 그러나, 전투에 사용할만큼은 충분하고도 넘친다. 대부분이 모여 있는 적들에게 날아가 박혔다. 쏘기 좋은 대형으로 있던 것도 적들의 불운이다.

끄악-! 하는 비명 따위가 총성에 묻혔다. 적들도 총을 난사한다. 홍인수가 다시 사라진다. 한 두 발 정도가 그의 허벅지 즈음에 박혔다. 망치로 맞은 것과 비슷한 충격이었다. 체감상은 말이다. 뼈가 상할 정도는 아니다.

그는 한 번의 도약을 다시 먼 곳으로 낭비해야 했다. 시야를 회복하자마자 복도 쪽으로 나가 있는 적들의 위치를 눈에 담았지만 그전에 발동을 걸어둔 점프가 발현된다. 그사이에 위치를 바꾸기 위해서는 처음부터 점프를 시행해야 했다.

총탄에서 피하기 위해서는 어쩔 수 없었다. 홍인수는 한 번, 마린 궁을 바라보는 옥상 기지로 위치를 옮겼다.

허벅지가 더럽게 아리다. 왼쪽 다리 대퇴부에 두 발을 맞았다. 이러고 나면 잠시간은 걸을 수 없다. 그에게는 걸음보다 효율이 좋은 이동 방법이 있었으니 다행이었다.

그가 잠시, 건물 내부 3층 자리를 더듬었다. 적들은 아마 패닉에 빠졌을 테였다. 점프를 목격하고 상대하는 건 극소수 중에서도 극소수이다. 그와 같은 훈련된 점퍼들이 투입되는 전장이 적을 뿐더러 기본적으로 정보도 통제되는 편이다.

각국의 군 내에서 선별된 인원들이 돌아가며 담당을 맡는 걸로 알고 있었다. 그 외의 인원들에게는 일반인과 똑같이 기밀이었다.

그리고, 안다고 해도 그를 상대로 할 수 있는 일이 많지도 않다.

홍인수가 점프의 시행과 취소로 특수부대원들의 정확한 대형을 다시 한 번 확인했다.

복도에서 쓰러진 둘, 방에서 쓰러뜨린 하나, 난사에 맞고 쓰러진 게 또 하나였다.

안쪽 방에서 튀어나온 이들과 섞여서 모여 있다. 사라진 홍인수를 찾기 위해 다소 움직이는 것도 같다. 일단 그가 파악하기로, 파고들 공간은 있어 보였다.

그는 그와 동시에 탄창을 한 번 더 갈았다. 확장 탄창은 발수가 많지만 그가 쏘아야 할 양도 많았다. 틈이 날 때마다 가는 편이 좋다.

홍인수는 지체 없이 도약을 했다. 뜨거운 오후의 햇볕이 따사롭다. 그는 도약 직전에 왼팔을 누군가가 앞에 있는 것처럼 갈고리처럼 굽힌 채로 들었다. 몸은 슬쩍 뒤로 빼며 기관단총의 총구를 앞으로 향했다.

후욱, 하고 그가 사라진다. 그는 마린 궁의 3층에 나타난다. 복도에 선 채 헛것이라도 본 것처럼 패닉에 빠져 있던 이들 사이였다. 개중에서 소대장 정도로 보이는 병사의 뒤를 그가 잡았다.

턱, 하고 목을 잡는 팔뚝은 예상할 수 있는 것이 아니었다. 홍인수는 그대로 방탄 조끼의 등판에 기관단총을 겨누고 갈겼다. 투두두두! 하고 무식한 소리가 났다. 반동이 격하다. 그걸 맞는 병사의 반응은 조금 더 격하다.

플레이트가 뚫릴 정도로는 쏘지 않았다. 충격을 줄 뿐이다. 그는

몇 방인가 짧게 끊어 쏘고 뒤에서 허벅다리를 쏘았다. 복수의 의미
는 아니었다. 끄윽! 하고 신음같은 소리를 내며 힘이 풀린다. 그는
그대로 소대장을 끌어안은 채 옆구리로 총구를 내밀었다.

힘으로 그를 끌며 한 바퀴를 돌았다. 방아쇠를 꾹 당긴 채. 투두
두두두두! 하고 길게 쏘아진다. 부대원들은 갑자기 나타난 인간이,
소대장을 인질로 잡고, 자신들에게 총을 겨누고 있는 상황에 정상
적으로 반응하지 못했다.

쌍욕을 뱉으며 방 안으로 들어가 엄폐를 하는 경우는 아주 준수
한 정신을 가진 부대원이었다.

궤적에 있던 서너 명 정도가 총탄에 쓰러진다. 홍인수는 만족했
다. 그는 그대로 다시 도약해서 사라진다.

손에 닿아 있던 소대장같은 병사도 함께였다. 홍인수는 바깥쪽
방에 진입한다.

방 내부도 마린 궁의 실내 테마에 충실한 고풍스러운, 바로크
시대의 건축물의 양식미를 살린 느낌이었다. 복도와 비슷한 톤의
카펫과 조명, 수제품인듯 보이는 목재 가구들이 방의 외곽을 채운
다.

군사들이 옮겼는지 다소 두서 없는 배치로 여기저기에 모여져 있기는 하지만. 방의 가운데는 휑한 공간이었다. 창문에는 바리케이트의 대용인지 두꺼운, 검은 빛의 방패 따위가 대여져 있었다.

그는 방 문으로 들어가 바로 고개를 돌리면 보이는 자리에 나타났다. 목재 문 옆에 등을 바짝 붙이고 경계를 하는 병사의 옆이었다.

홍인수의 앞에는 목덜미가 붙들린 소대장이 있다. 허벅지에서는 총탄에 맞은 흔적으로 피가 흐르고 있었고.

그는 대충 갈겼다. 어차피 매 순간 교전 가운데 확인 할 수는 없었다. 머릿속에 3D 지도가 있는 것도 아니었고. 리시버는 대강 비슷한 재주를 부리는 것도 같았지만 말이다. 그리고, 지원이 충분할 때는 그런 시각 자료를 실시간으로 받으면서 싸우기도 한다.

지금은 아니었다. 사각에서 적의 위치는 순간 파악이 힘들기에 예측으로 우선 갈겨야 했다. 그러기 위해 총탄을 많이 챙겨 왔다.

다행히 동선을 상상했을 때의 움직임 그대로 상대가 이동했다. 그는 벽면에 붙은 병사에게 반대 쪽에서의 총격을 선사해주었다. 투두두두! 하고 총구가 납탄을 뱉었고 병사는 몸통과 헬멧, 어깨와 팔에 총을 맞고 다운되었다. 갑작스러운 충격과 몸을 파고드는 총알은 견딜만한 것이 아니었다.

극도로 단련된 부대원이라면 곧 일어설 수도 있었지만, 그 정도 대응에 홍인수가 당하기는 어려웠고.

한 명을 눕혔을 즈음 시야가 회복되었다. 홍인수는 방의 전경을 바라본다. 다른 쪽 벽면에 붙어서 호흡을 가다듬는 부대원이 보였다. 자연스레 총구를 겨누고 갈겼다.

두두두두두! 하는 총성이 들리는데 그쪽도 정신을 차렸는지 마주 쏜다. 몇 발은 앞에 두고 있는 소대장의 방탄복에 맞았다. 짧은 순간에 몇 미터 거리라고 하더라도, 정확한 핀포인트를 맞추는 건 난이도가 있는 일이었다. 당황스러울 때는 더욱 그렇다.

그리고 상대가 조준점을 다소 조정할 즈음에는 이미 홍인수가 사라져 있었다.

그는 소대장에게서 몸을 떼고 홀로 이동했다. 그를 바라보는 대원의 뒤였다. 이동과 동시에 이미 방아쇠를 당기고 있었다. 눈으로 확인하고 정확한 방향으로 이동을 했으니 맞추지 않는게 더 어려운 일이었다.

투두두두, 하는 총성이 다시 울린다. 한 명이 더 넘어졌다. 나머지는 반대쪽 방으로 넘어갔다. 개중 몇 명인가가 방 안으로 들어온다. 불가사의한 적이라고 하더라도 대응은 해야 했다.

홍인수는 무릎을 꿇었다. 상대가 아마 머리 부근을 겨누고 있을 테였으니까. 침착하게 들어오는 적의 팔이나 다리를 노려 사격한다. 투다다, 투다다다! 다소 끊어서 쏘는 조준 사격은 정확하고 빠르다.

패스트 건의 시합을 한다면, 부대원들은 홍인수를 이기기 어려웠다. 그는 점퍼가 아니더라도, 상대를 찾기 어려운 수준의 전투원이었다.

상대가 총을 놓치거나, 쓰러졌다. 돌입하던 이들이 복도에서 걸음을 멈춘다. 홍인수는 앉은 자세 그대로 옆으로 이동했다. 벽을 넘어서, 복도 쪽으로.

투두두두두두! 다시 난사를 한다. 홍인수가 든 기관단총이 가로선으로 움직이며 총알을 퍼부었다. 대강 어깨 즈음의 높이였다. 복도에 있던 셋이 변변찮은 대응 사격을 하기도 전에 넘어간다. 마지막 병사가 몸을 돌려 홍인수 쪽으로 총구를 겨누려 했을 때 이미 단총이 총알을 뱉고 있었다.

"으윽!"하고 억눌린 소리를 내며 마지막 병사가 쓰러졌다. 복도에 나와 있는 이들 중 마지막이었다. 안쪽 방에 둘이 더 있었다. 홍인수도 아마 더 있으리라 생각했다. 확실히 확인하기 전까지는 남아있다고 생각하는 것이 안전했다.

안쪽 방에서는 쉽사리 나오지 못했다. 상대가 총을 겨누고 있을지도 모르니. 수류탄 따위라도 까고 나서는 것이 안전했다. 홍인수 역시 그렇게 생각할 즈음, 안쪽에서 주먹만한 물건이 날아들었다. 휙, 하고 포물선을 그리며 손 하나가 뱉어낸 물건은 수류탄이었다.

홍인수 역시 쉬지 않고 점프를 발동 중이었다. 이즈음에 한 번 뒤로 빠지려는 의도였고, 그대로 도약했다.

홍인수의 시야가 점멸했고 외부에서 보면 그의 몸이 사라진다. 그는 마린 궁 바깥 거리에 나왔다. 처음 장비 키트를 놓아두었던 골목 사이의 그늘이다.

그는 기계적으로 탄창을 빼내고, 새것을 안주머니에서 꺼내어 갈아 넣었다. 재킷은 제법 용량이 크다. 장인의 도구 주머니처럼 적재할 수 있도록 품 안 전체를 주머니로 꿰매놓았다.

그는 그대로 장비 키트를 들었다. 도약을 아끼려는 셈이었다. 몇 번인가 도약 시도로 3층의 안쪽 방을 살핀다. 2초 정도, 걸렸다. 다른 시각 정보나 위치 데이터 없이 먼 거리를 살피느라 JE 운용이 둔하다. 리시버는 아무리 먼 거리라고 하더라도, 선명하게 그 자리를 상상해내며 거의 똑같은 속도로 해낼 수 있다고 한다.

홍인수는 3층의 방 안쪽에서 한 명의 위치를 잡아내었다. 멀리서 폭음이 들리는 것도 같았다. 마린 궁 근처에서 폭약을 쓰는 건 벤즈군도 피하는 일이었고, 러시아군도 지금까지 자제하던 일이었지만 수류탄의 폭발로 복도의 한 구간이 날아갔을 테였다.

뼈아픈 일이었지만, 생명보다는 값싼 피해였다.

홍인수가 그늘에서 다시 도약을 했다.

절묘하게, 알맞게 도약을 해낸다. 그는 자신의 촉감으로 느껴지는, 품 안에 들어오는 사람의 기척에 망설임 없이 움직였다. 그대로 팔뚝으로 목을 조르며 기관총으로 다리를 쏘았다.

팔다리를 쏘는 건 손쉬운 제압 방법이었다. MP5로 하기에는 다소 무식한 일이었지만.

비명을 지르며 한 명이 더 넘어갔다. 그대로 자세를 유지하며 총구를 앞으로 두고 드르륵, 가볍게 탄을 날렸다. 반응은 없었다. 시야를 회복하자 방 내부에는 그와 방금 제압한 한 명 뿐이다. 벽 너머에서 기척이 들린다. 그는 품에 둔 병사를 풀고, 들고 있던 더플백을 천천히 내려놓으며 한쪽 무릎을 꿇고 앉았다. 옆으로 귀를 기울인다.

수류탄을 까고 한 명이 복도로 나왔던 모양이다. 홍인수는 점프로 벽 너머 공간을 더듬었다. 바깥에서 들려오는 소리, 그가 머릿속에 지닌 구조도, 여러가지 것들이 정보로 제공된다. 이런 보조 정보가 있을 때 '탐색'은 좀 더 쉬워 진다.

금세 상대의 위치와 주시 방향을 파악했다. 그는 그 바로 뒤로 이동한다. 도약의 감각과 함께 그는 상대의 팔다리가 있는 부분을 차례로 사격했다. 눈에 보이지 않아도 맞출 것을 확신했고, 상대의 비명으로 한 번 더 확인했다.

3층 제압이 대강 끝났다.

*

홍인수가 1층 홀에 진입하고, 3층까지 마저 진입하기에 걸린 시간은 그리 오래지 않았다. 어느 정도였냐면, 마린 궁의 현관이 파괴되고 1층을 정리할 때까지 2층 인원들이 정확히 상황을 파악하지 못했다.

아래쪽에서 들린 폭음과 교신이 끊어진 것에 2층 인원들이 1층으로 지원을 가는 동안, 그가 3층을 진압했다. 바깥 쪽에서는 순조롭게, 벤즈의 부대가 서서히 밀고 들어오며 마린궁 근처에까지 다가온 상황이었다.

건물 전면에서 이어지는 엄호 사격 때문에 더 다가가기 어려운 것도 있었는데, 내부 인원들이 침묵하고 정문에서 1층까지의 백업이 사라지자 궁 야외의 인원들이 오래 버티기가 어려웠다. 러시아의 특수부대원들이 더 정예였고, 개인화기의 화력이 강했으나 벤즈군의 수가 더 많았다.

내부에서 이어지는 백업과 물자 보급이 끊어지자 금세 무너진다.

그가 모든 상황을 마무리 할 때까지 4, 5분이 넘지 않았다. 4층과 5층 인원들이 아래에서 일어나는 일에 파악을 위해 내려오려 할 때는, 이미 그는 건물의 옥상에 있었다.

＊

햇볕이 따사롭다. 벤즈는 서울보다는 덜했지만 계절의 변화가 그래도 뚜렷한 편이었다. 6월 말, 오후의 햇살이 그의 등을 비춘다.

홍인수는 마린 궁의 옥상에 있었다. 정확히 말하면 대통령 집무실의 바로 위, 자리였다.

옆으로는 마린궁의 아름다운 지붕 조형이 보이고, 그는 높게 솟은 그 조형물의 옆에 서 있었다. 손에는 검은 색의 더플백을 든 채다. 가방 안에는 여러가지, 쓸만한 물건들이 많이 들어 있었다. 주로 화약이 담겨져 있고 버튼을 누르면 폭발하는 종류였다.

그도 문화재나 다름 없는 건물의 많은 부분을 부술 생각은 없었다. 어지간하면, 안전하게 가는 것이 좋으니까 필요에 의해 하는 일들일 뿐이다. 작은 구멍 정도만 낼 셈이다.

지붕에 있는 그를 관측하는 건 아마 벤즈 쪽의 군사들일 테였다. 엄호 사격이 약해진 틈을 타 정문으로 밀고 들어오느라 정신이 없을 테지만. 러시아쪽 특수부대원들은 건물 내부에 있거나 밀고 들어오는 전차와 벤즈 군인들을 막아서느라 뒤를 돌아볼 여유가 없을 것이었고.

그는 차분하게 움직였다. 이런 상황일수록, 더 침착해져야 한다. 극한의 상황 속에서 제대로 움직일 수 있느냐, 가 언제나 목숨을 가르는 기로였다.

홍인수는 다행히 담이 센 편이었다. 총알이 빗발치는 상황 속에서 몸이 굳어본 적은 없었다. 첫 교전 임무에 투입되었을 때조차 말이다.

그는 더플백에서 비슷하게 생긴 네모난 뭉치들을 꺼냈다. 멀리서 보면 쇳덩이처럼 보이지만, 들어보면 플라스틱 재질이라 그렇게 무겁지는 않았다. 내부에는 화약이 들어 있다. 처음에 사람에게 썼을 때 죽지 않을 정도였던 소형보다는 크고, 본격적인 종류이다.

한 손에 하나를 들면 가득 차는 크기이다. 그만한 걸로 두 개를 건물 천장, 돌로 지어진 곳에 떨어뜨렸다. 척, 하고 달라붙는 폭탄은 어딘가에 던져서 보통 건물 외벽을 뚫는 데 사용한다. 지향성을 가지고 폭발하는 종류라서, 깔끔하게 터뜨리는 데도 좋다.

그는 아주 간단하게 폭탄을 부착하고 멀리 떨어졌다. 그를 발견한 이는 아직 없는 것 같았다. 장비 키트에는 여러가지 쓸만한 것들이 많이 있었다. 한 전장에서 다 쓰지 못할 정도로. 그는 개중에서 작은 물건을 하나 더 꺼내든다. 둥그렇게 생긴, 소형 기계였다. 바퀴가 달렸고, 주먹만한 크기이다. 태블릿으로 조작하면 그에 따라 움직이는 종류였고, 생긴 것보다 튼튼하며 무엇보다 빨랐다.

가지고 있는 기능은 별 것 없었다. 360도 전방위를 찍어서 영상으로 사용자에게 보여주는 시각 확장 기계였다.

여유가 있을 때에는 이렇게 보조 기구를 사용하면 일이 매우 쉬워진다. 그는 마린 궁의 지붕에서 폭탄을 설치한 곳으로부터 멀리 떨어졌다. 한 십여 미터는 벌어졌다. 폭탄의 폭발 방향은 아래 쪽이다. 살짝만 떨어져도 사실 큰 위험은 없었다. 파편이 튀는 걸 조금 조심해야 하는 정도이지.

그는 바퀴달린 기계의 버튼을 눌렀다. 전원이 들어오고 기계에 미약한 불빛이 나타난다. 이 상태가 되면 조작 가능 상태였다. 그는 우선, 폭탄부터 조작을 했다.

처음 부착용 폭탄을 썼을 때처럼 자주 들고 다니는 통신기를 사용했다. 주머니에 넣어둔 통신기는 여전히 폭발물 제어용 모드였다. 그는 꺼내지도 않고 바지 주머니에 손을 넣은 채로 버튼을 눌렀다.

달칵, 하고 누르자마자 쾅! 하는 소리와 함께 폭발이 일어났다. 돌벽이 무너지며 일어난 먼지나 잔해 따위가 조금 위로 올라왔다. 부착해둔 검은 박스 형태의 폭탄은 사람 하나가 지나갈 정도의 구멍을 내고 아래로 폭발력을 쏟아냈다. 그 자리는 대통령 집무실이 있는 위치였고, 직접적으로 폭발에 휘말린 러시아 요원은 없었다.

홍인수는 그대로 장비 키트에서 넣어 두었던 작은 태블릿 PC를 꺼내들었다. 자리에 무릎 꿇은 상태로 어플을 켜고 조작하자 둥근 기계가 질주를 한다. RC카처럼 빠르게 달리는 그것은 제법 내구성이 튼튼하다. 이런 실내 교전에서, 막 굴려도 될 정도로.

직접적으로 총격이나 적의 타격을 받지만 않으면 기능에는 문제가 없다.

만들어진 구멍에서 연기가 피어올랐고, 그 사이로 작은 카메라를 단 주먹만한 기계가 빠르게 달려 쏙 들어갔다.

연동된 태블릿 PC에서는 이어서, 기계로 받아들이는 내부 영상이 드러났다. 태블릿 화면은 양분되어서 한쪽은 실제 영상을 받아내고 있었고, 한쪽은 영상을 기초로 한 가상의 맵이 만들어져서 보이고 있었다.

색이나, 현장의 상태보다 점퍼에게 당장 있는 적의 좌표가 중요하기에 나타나는 시각 정보다. 기계를 조금 조작해서 복도로 달렸다. 적들은 경황이 없어 기계를 빠르게 포착하지 못한 모양이었다. 집무실에 8명이 있었고, 복도 쪽에 2명이 있다. 건물 전면부의 방문은 닫혀 있었다. 기계가 물리적인 파괴력을 가지진 못했기에 닫힌 곳으로 들어가진 못한다.

홍인수는 순식간에 나타나는 정보를 받아들이고, 한 손에 MP5를 장전해서 들었다. 그리고 곧장 점프했다.

*

애초에,

갑자기 나타난 괴한이 그들의 지휘관을 납치해 갔을 때로부터 그리 긴 시간이 지난 건 아니었다. 그리고 그들이 확보하고 있던 벤즈의 대통령 부부가 갑자기 사라진 것도 말이다.

지휘 계통에 혼선이 생기고, 연락하던 본부에 보고할 말조차 마땅찮은 거짓말 같은 상황 속에서 부대원들은 침착하게 대처하기 위해 부던히 애를 썼다.

손에 든 인질이 허공으로 사라져버리고 나니, 남은 상황은 적진에 남은 소수의 작전 부대인 그들 뿐이다. 외부로부터 지원이 들어오지 않는다면 당장에 살아나갈 구멍마저 마땅찮은 상황이었다.

거기다 그들을 이끌 지휘관도 이해 못 할 현상으로 인해 부재중이니, 당장 다음 지휘 계급인 안톤 소로킨 대위는 머리를 부여잡아야 했다. 우선 바깥에서 밀고 들어오는 벤즈와의 교전은 지속해야 한다. 그들이 가지고 있는 화력 물자가 바닥이 날 때까지.

탄약 보유량이 절반으로 내려가기 전에 퇴각로를 확보해야 했다.

전차는 전부 전면에 세워두었으니, 결국 이를 이동해야 한다. 이미 들어올 때부터 기갑 부대의 호위를 받으면서 그들만이 침투한 상황에서, 걸어서 나가기란 불가능에 가깝다.

적어도 상대의 눈에 띄지 않는 곳까지 도망친 다음에, 야외에서 공군 부대의 지원을 기다려야 했다. 가능성이 얼마나 있을지는 알 수 없었다. 지휘관도 사라지고, 인질도 사라진 마당에 그들을 위해서 러시아군이 얼마나 필사적으로 구출 작전을 벌일 지는 미지수다.

전체적인 전황 자체는 러시아군의 승세였으나 생각보다 지지부진한 상황이었다. 그런 시기에 반전을 위해 나름대로 목숨을 걸고 도박수를 날린 것이었는데, 차라리 실패를 한 것보다 더 허탈한 경우였다. 눈 앞에서 이해하지 못할 무언가가 그들의 성공을 빼앗아가 버렸다.

소로킨 대위는 교전 상황에 집중하라 말하며, 약 30분 뒤에 1층 홀로 병력들을 모으려 했다. 남아있는 물자들을 퍼붓고, 적국의 중요 문화재인 마린궁에 수류탄을 까고, 시선을 돌린 뒤 전차로 무력 돌파를 하려 했다.

벤즈 군이 밀고 들어오는 상황에서 정면 대결은 올바른 선택은 아니었지만, 맨몸으로 도망치는 것보다야 가능성이 높은 선택지였다. 적들이 눈앞에서 역사적 유물이 불에 타는 걸 보며 당황하고 있을 때 양동 작전으로 담장을 부수고 밀고 나간다.

그대로 게이브의 시가지를 뚫고, 그들이 들어왔던 작전 루트를 이용해서 시내를 벗어난다. 전차에 적재된 연료나 물자들은 나름대로 풍족했다. 그들이 마음 먹고 게릴라전을 벌인다면 이 근방을 떠돌면서 벤즈 군을 한참이나 괴롭혀 줄 수도 있었다. 물론, 그는 그러고 싶지는 않았다. 이미 임무 상의 목적이 유실된 상황에서 빠른 귀환만이 그가 원하고 있는 목적이었지.

적군의 중심부에서 보급도 없는 채 의미 없는 유격전을 벌이는 건 할 짓이 아니었다.

"당장 물자 모아서 대기한다. 13분에 엄호조 빼고 5층 출발, 1층 홀에서 교전하다 23분에 정문으로 출발한다. 나와 데이브 조가 나가서 좌측, 세르게이 조가 우측으로 빠진다."

안톤이 빠른 어투로 지시를 했다. 부대원들은 지시 사항이 있을 때 이행까지 텀이 없었다. 곧바로 주위에 흩어져 있던 장비, 탄약, 폭발물들 따위가 수납 상자에 정리되어 모인다.

그리고 13분까지 10분이 남은 상황이었다.

쾅! 하는 폭음이 집무실 천장으로부터 들려왔다. 안톤은 한 번 더 일어나는 일에 신경질적으로 시야를 돌렸다. 이번에는 또 뭔가.

깔끔한 폭발이었다. 석재 외벽에 그대로 구멍이 나서 지붕 위 바깥과 이어졌다. 딱 사람 하나 둘 정도가 들어올만한 크기이다.

안톤이 수신호로 방향을 겨누자 근처 부대원들이 곧바로 사격 태세를 취했다. 구멍으로부터 무언가 들어오리라는 생각에 취한 경계였다. 연계되는 수신호는 양 옆 부관들만 인지해도 소대 전체로 이어진다.

폭발 직후에 모든 총구가 천장을 향한다. 긴장감이 어린 1, 2초 정도가 지난다.

윙, 하는 바퀴 달린 것의 소리가 나는 듯했다.

곧바로 쏘지는 않았다. 미약한 소리였고, 작고 빠른 그것은 눈에 제대로 잡히지도 않았다. 자욱한 연기 사이로 무언가가 들어왔다고, 만 느껴졌다. 수류탄 종류는 아닌 듯하다. 다만 경계하며 조금 물러섰다.

여전히 부대원들의 총구는 천장을 향한다. 몇 초가 지나지 않아서, 홍인수가 난입한다.

후욱 하는 소리는 안톤 정도만이 들은 듯했다. 전장터에서 감지하기에는 지나치게 작은 기척이었다. 점프에 대해 익숙한 이들만이 느끼곤 하는 전조 현상이다.

안톤은 짧은 순간에 점프 에너지JE를 얼핏 느끼게 될 정도로 예민한 사내였다. 불행인지 다행인지, 인지는 했지만 대처할 수단은 마땅치 않았다. 안톤은 누군가 자신의 목을 느닷없이 휘감는 걸 느꼈다.

어이가 없는 일이었다. 누군가 자신의 등 뒤로 다가올 상황이 아니었다. 자신의 갈고 닦인 감각이 혼란을 일으키는 게 아니라면, 눈 앞의 팔뚝은 갑자기 나타난 물건이다.

어느 사내의 팔뚝은 제법 근육이 붙은 것이었다. 안톤은 채 반항하기도 전에 목이 조여들어감을 느꼈다. 옆에 선 부관들이 이상함을 느끼고 총구를 안톤의 뒤쪽으로 총구를 바꿔 겨누었다.

부관들이 상황을 인식하고 몸을 돌릴 때 홍인수는 이미 단총의 방향을 안톤의 다리에 두고 있었다. 탕! 하고 한 발이 나간다. "끄으읍!" 억눌린 신음 소리가 난다. 홍인수는 그대로 다른 쪽 다리와 팔을 순서대로 쏘았다.

방탄 방호구로 보호받지 않는 지점들이었다. 머리나 몸통은 몇 발을 맞춰야 관통이 될 지 알 수 없었다.

부관들이 안톤이 사선에 걸려 함부로 총을 쏘지 못한다. 홍인수는 그대로 붙잡은 사내를 내세우며 뒤로 조금 물러섰다. 전체적으로 원형을 그리고 서 있던 이들 사이에서 홀로 뒤로 빠지는 모양새였다.

총성이 들린 시점부터 모든 이들이 홍인수를 노리고 있다. 홍인수는 곧장 점프를 시행했다. 안톤은 두고서, 홀로 이동한다.

눈 안에 모든 이들의 위치가 들어온 순간 일은 거의 끝난 것이나 다름이 없었다. 집무실 내부 8명, 복도 쪽에 2명. 반대편 방에 누군가 있을 지는 알 수 없었다. 복도 쪽에 있던 이들이 문을 열고 들어오고 있었다.

홍인수는 원형 대형에서 안톤과 마주보고 있던 자리의 대원의 뒤를 파고들었다. 그는 망설임없이 총을 쏘았다. 탕! 하고 허벅다리 정도를 갈겨 주는 건 손쉬운 제압 방법이었다. 전투가 끝난 후에 후유증으로 고생할 지는 모르겠으나. 죽는 것보다는 나은 일이다.

그대로 옆에 있을 이에게 기관단총을 한 손으로 뻗어 사격을 했다. 투다다! 몇 발인가 갈겨 주고, 뒤로 빠지면서 약간의 시간을 번다. 대원들은 패닉 상태에 가까웠다. 눈 앞에서 자꾸만 사라지는 적 같은 걸 상정하고 싸우지는 않는다. 점퍼는 자연재해나 마찬가지였다. 대응법을 제대로 알지 못한다면 말이다.

홍인수가 시야로 조금 조정된 이들의 위치를 훑고 곧바로 다시 이동했다. 다시 다른 이의 뒤였다. 들 자세는 같다. 팔뚝으로 목을 조르면서 총으로 팔다리를 손쉽게 사격했다. 놀라울 정도로 간단한 일이었다.

다른 이들의 위치에서 사각이 될만한 곳만 골라서 이동하고 있었다. 대원들은 늑대 앞에 양처럼 얌전히 한 명씩 잡아먹히고 있었다. 안톤이 비명을 질러야 할 상황에서 간신히 지휘를 내렸다.

"다음에 나타나자마자 그냥 쏴라!"

그 말을 듣고 홍인수는 안톤의 옆에 서 있던 부관의 뒤에 나타난다. 그는 도약과 동시에 상대의 왼쪽 허벅지를 쏘았다. 그리고 총을 옆으로 뻗어서 안톤에게 갈겼다. 투두두! 하고 날아가는 총알이 엎드린 안톤의 다리 께에 맞았다. 끄윽! 그가 비명을 지른다. 총알은 참는다고 참아지는 고통은 아니었다. 실신하지 않은 것만 하더라도 그가 강한 정신력의 소유자라는 뜻이었다.

다른 대원들이 곧바로 사격을 하지는 못했다. 동료를 향한 무차

별 사격은 상당히 거부감이 드는 일이다. 그 사이에 홍인수는 다시 이동한다.

여덟 명 중 네 명이 아무런 손도 쓰지 못하고 사지를 잃었다.

홍인수는 감각적으로 움직였다. 시야는 잠깐의 텀이 있지만 그 외 촉각 따위는 바로 돌아온다. 그는 기계적으로 손에 걸리는 것을 움켜잡았고, 총구를 상대의 다리에 들이밀며 총을 쏘았다. 그는 멈춤 없이 반복했다. 순간이동은 그야말로 순간에 일어나는 일이었고, 한 호흡의 반보다 짧았다. 그리고 나타나서 총알을 몇 발인가 갈겨주는 데 1초가 걸리지 않았고.

그들은 초능력자를 상대하는 기분이었다. 그리고 실제로 점퍼는 초능력자였고.

완전히 경계 태세에 있는 밀실 내의 특수부대원을 상대하는 게 간단한 일은 아니었다. 그래서, 그냥 홍인수는 안전하게 적군을 방패막이로 삼으면서 한 명씩 처리했다. 단순한 방법이 가장 효율적이었다. 그는 그렇게 나머지 적들도 처리했다. 두 명인가 남았을 때, 둘 중 하나의 목덜미를 조를 때 둘이 비명을 질렀다.

"으아아아아악!"

항거할 수 없는 괴물에게 대항하는 것과 비슷한 소리였다. 홍인수는 크게 신경 쓰지 않고 다리를 쏘아 맞추었다. 그리고 무너지는 품 안의 적을 일으켜 세우면서 MP5를 앞으로 겨누었다. 복도 쪽에서 들어온 이들도 똑같은 방식으로 처리한 지 오래였다. 서로가 인질이 되어서 과도한 화력을 소모하지는 못하는 이들이었다.

그는 이번에는 앞에서 상대의 팔다리를 맞추었다. 상대가 팀원 너머의 홍인수를 겨누며 사격한다. 투두두! 몇 발인가 쏘았고, 대부분은 허공으로 날아갔고 한 발이 홍인수가 쓰고 있는 헬멧에 맞아 빗겨나갔다.

홍인수가 쏜 탄환이 상대의 사지를 관통했고, 집무실 상황이 종료되었다. 그는 간단하게 반대쪽 방으로, 점프를 사용해 넘어갔다. 보통 시야의 사각이 될 만한 천장 부근으로.

후욱, 하고 사라졌다가 건물 전면 부의 창문으로 통하는 방에 나타난다. 엄호 사격을 하고 있는 한 명이 있었다. 그는 공중에서 시야를 회복하자마자 총을 쏘았다. 그가 바닥에 닿기 전에 투두두! 하고 총알을 쏟아냈고, 갑작스럽게 옆에서 시작된 사격에 엄호하던 병사가 쓰러진다. 탁. 하는 소리와 함께 그가 바닥에 내려 앉았다. 가벼운 몸놀림이었다.

홍인수는 방의 구석에서 창의 바깥을 슬쩍 바라보았다. 순조롭게 벤즈 군인들이 진압을 하고 있었다. 그는 조용히 방에서 나가 안쪽 방으로 들어가며 주변을 살폈다. 죽은 이는 없었다. 심각한 부상을 입고 신음하고 있는 병사들은 있었지만.

여기저기, 팔다리가 다행히 날아간 인원은 없었다. 관통상 따위로 피를 흘리고 있을 뿐이다. 홍인수는 난장판이 되어버린 마린 궁의 집무실을 둘러본다. 러시아 군인들이 모아놓은 전쟁 물자들이 보였다. 탄약 상자나, 화기류였다. 보급용 식량 따위도 보인다. 그는 그것들을 되는대로, 대강 들 수 있는 만큼 손에 쥐고 슬쩍 들어 올렸다. 한 번에 여러 개를, 쥘 수 있는 만큼.

가져다 두면 어딘가에 쓸 데가 있다, 는 생각으로 챙길 요량이었다. 그는 그렇게 집무실에서 이탈했다.

몇 번인가 더 오가면서, 그가 남겨둔 장비 따위를 챙겨서 기지로 귀환했다.

*

이후 벤즈-러시아 전쟁은 러시아 쪽의 후퇴로 마무리 지어졌다.

러시아는 나라의 크기에 비해 동원할 수 있는 전쟁 인원에 한계가 있었다. 전쟁을 대대적으로 장기간 소화할 수 있을만큼 체력이 좋은 나라도 아니었고. 단기간에 상대적으로 압도적인 병력을 사용해 벤즈를 한 번에 무력화시켰어야 했는데, 생각보다 중앙아시아 부근에서 터전을 잡고 다져 온 벤즈의 저력이 만만치 않았다.

혹은, 명분 없는 침략 전쟁에 대한 분노일지도 몰랐다. 벤즈의 국민들, 군인들은 도망가지 않았고, 특히 젊은 대통령이 맞서 싸우면서 기세를 더했다. 러시아군은 지지부진한 침공을 반복하다가, 결국 스스로의 체력 소모로 물러서게 되었다.

세계적 정세 속에서 자신들의 활로를 찾기 위해서 벌인 전쟁이었으나, 소득 없이 지나치게 장기화 된다면 도리어 안하느니만 못한 일이 되고 만다. 불필요한 국력의 소모는 나라의 수명을 더 깎아 먹을 뿐이었다. 가뜩이나 잘못된 선택으로 세계 정세에서 고립되기 쉬운 위치에 있는 러시아였다.

진정으로 삶을 도모하고자 한다면, 다른 나라의 흐름을 받아들이고 공생하는 수 밖에 없었다. 죽어가는 사상을 붙들고 고립된 채 독재를 해보았자 격변하는 정세 속에서 섬처럼 굴 뿐이었다. 아무리 큰 땅덩이를 가지고 있어도 폐쇄되어 있다면 감옥이나 다름 없다. 러시아의 경제와 사회, 문화를 비롯한 다양한 흐름들은 앞으로의 시대를 바라보고 선택을 할 수 밖에 없었다.

벤즈에 대한 침략 전쟁은 러시아군의 실패였다. 병력대비 사상자가 더 많았고, 현대전에 경험이 없는 민간인들까지 동원을 해서 부랴부랴 급조한 군대들은 독기가 오른 벤즈 군에 의해 많은 수가 초기에 목숨을 잃었다.

러시아의 독재 정권은 아이러니하게도, 머리가 하나라 실패를 거듭한다. 주변의 지지와 이해를 받으며 카리스마를 발휘한다면 일원화된 수뇌부는 강력한 힘을 내지만, 공동체를 배려하지 않는 마구잡이식 폭주는 결국 크나큰 실패로 귀결될 뿐이다.

점퍼에 의해 독일로 옮겨졌던 레벤스키 대통령 내외는 그 자리에서 모인 유럽의 인사들과 훌륭한 의사의 타결을 해냈다. 유럽으로서도 러시아 쪽의 침략은 부담스러운 일이었고, 벤즈가 앞장 서서 그 방패막 역할을 해준다면 원호를 해줄만한 일이었다.

벤즈가 어느 정도의 이익을 그들 연합에 가져오느냐, 가 유럽 연합의 주요 관심사였다. 레벤스키 대통령은 간절하게 호소했고, 전쟁 이후의 복구와 국가적 사업에 대해서 유럽 자본의 투자를 요청했다.

다양한 이익의 계산과 함께 벤즈는 EU의 가입국의 대우를 우선적으로 받게 되었고, 서방 세력의 원군과 함께 레벤스키가 게이브에 돌아온다.

벤즈 국내에 머물던 군대와 원군의 지원에 힘입어서 러시아 군대가 패퇴되었고, 벤즈-러시아 침략 전쟁은 그렇게 일단락되었다.

***

"쓰ㅇㅇㅇㅇㅇㅇ읍."

한낮.

홍인수는 벤치에 늘어지게 기대어 앉아 있었다.

어깨가 매우, 몹시 결렸다.

며칠 전에 맡았던 임무의 후유증일 지도 몰랐다. 점프를 하고, 총을 쏜다. 단순한 일이었지만, 의외로 수십 명을 다운시킨다는 게 그리 간단한 일은 아니었다. 그만큼 긴장감이 있는 일이었고, 상대가 예민한 반응을 해온다면 그에 맞추어서 대응을 해야 했기에 교전의 순간이 짧더라도 체력 소모가 크다.

그가 누구보다 잘 할 수 있는 일이었지만, 피로감은 있었다. 그는 가만히 앉아서 '옌'을 기다렸다. 직접적인 전투 임무를 맡고 나서 얼마간은 이렇게 쉬는 틈이 주어진다. 이전보다 더 늘어난 휴식이었다. 다른 요원들에 비하면 딱히 휴식은 아니었지만, 소드마스터로서 조직의 전투력을 담당하는 그에게는 휴식에 가까웠다.

그는 조직의 내정을 위해서 시간을 할애해야 했다. 수뇌부의 의지에 따른 일이었다. 이번에는 옌과 함께 뉴욕을 돌아볼 시기였다. 만남의 장소는 서울이 적당했다. 왜냐면, 그가 마침 임무 중간의 휴식을 서울에서 가지고 있었기에 그렇다. 옌 역시 서울로 왔다.

시간이 난다면 김민서 역시 동참시키고 싶었지만, 그는 최근 JE2에 대한 실마리를 더욱 잡아가는지 스위스의 연구소 쪽에서 많은 시간을 보내고 있었다. 다른 임무로 방해할만한 여건이 잘 나지 않았다.

그럼에도 주말이 되면 온갖 수단을 사용해서 빡세게 체력 훈련을 시키고는 있었지만.

"요."

요, 는 만국 공통어였다. 손을 들면서 반갑다는 듯 흔들어주면 더욱 그렇다. 홍인수는 어딘가에서 천천히 걸어 나타나는 옌을 보고 맞이했다. 그녀는 곧잘 청순한 분위기의 원피스를 입고 다니는 편이었다. 전투에 적합해 보이지는 않았지만, 어차피 옌이 싸워야 할 상황이라면 최악에서도 최악의 상황일 것이다.

대부분은 홍인수의 선에서 마무리가 될 테다.

옌은 홍인수와 처음 만났을 때의 트라우마가 남아있는지 아직도 긴장된 듯한 모습이다. 말 수가 많지는 않다. 아니, 원래 말이 많지 않은 편일지도 모른다.

홍인수가 가볍게 이야기했다.

"갈까요. 새로운 동료를 구하러."

해적왕의 동료 선원을 구하러 가는 듯한 분위기였다. 물론 그와 비슷한 일은 아니었다. 훨씬 보잘 것 없고, 현실적이며, 치졸한 협상이 일어날 때가 많다. '점퍼 조직'이 딱히 을의 입장은 아니었으나 민간인이나 다를 바 없이 살아가는 점퍼를 만난다면 별로 강제할 만한 수단도 없었다. 그들은 구차하게 자신들의 사정과 배경을 설명하고, 납득을 구하고, 연락처를 만든 뒤에 사라지는 경우가 많았다.

혹은 이미 눈깔이 맛이 가 버린 점퍼를 만난다면 전투에 돌입해서 강제 진압에 들어가야 했고.

옌이 작게 고개를 끄덕였다. 그녀 또한 집이 서울에 있었다. 이

전에 윤민혁과 일을 도모하면서 만들어 두었던 집에 묵고 있었고,
기지 외에 거주하거나 시간이 날 때는 한국에 있는 경우가 많았다.
홍인수는 한국인으로서, 이곳이 익숙하고 좋았기에 시간을 보내는
편이었고.

그는 굳이 어딘가의 화려한 휴양지 따위를 바라는 성격은 아니
었다. 실제 휴가가 주어져도 말이다.

홍인수가 그대로 고개를 젖혀 하늘을 쳐다보았다. 맑다, 푸르다.
구름이 둥실둥실 떠다닌다. 태양빛이 따사롭다. 아, 눈이 아프다.

그는 그만 쳐다보기로 하고 벤치에서 일어섰다. 옌은 말도 없이
그 자리에 서 있었다. 되도록이면 홍인수가 도약을 소모하는 편이
었다. 그의 횟수가 훨씬 많았으므로. 그는 옌의 어깨에 손을 올렸
다. 턱, 올리면서 단체 도약을 한다.

＊

"…Who the hell are you?"

정겨운 인삿말이었다. 홍인수와 옌은 즐거운 눈웃음을 지어 보이
면서 열린 현관 너머에서 말했다.

"어… 당신이 점퍼라는게 다 들통났습니다. 우린 조직에서 나왔고요. 순순히 따라와 주시죠."

홍인수는 가끔 장난기가 올라오거나, 혹은 피로도가 극에 달하면 헛소리를 줄줄 내뱉고는 했다. 그 말에, 스킨 헤드에 인상을 팍 쓰면 함부로 다가가지 못할 것 같은 백인 청년이 위협적인 표정을 지어 보였다. 키도 큰 휜칠한 사내였다. 180은 넘어 보인다.

흔히 집에서 입는 듯한 흰 셔츠에 오래 입은 청바지를 입고서 슬리퍼 차림이었다, 상대는. 그들은 뉴욕 어느 거리에 있는 작은 렌트 하우스의 방문을 두드렸고, 거기서 나온 청년이다.

"WTX……."

청년은 도무지 이해할 수 없다는 듯이 욕을 중얼거렸다. 옌이 그나마 정중하게 입을 열었다. 그녀는 자신이 있는 근처에서 싸움이 나는 걸 원하지 않았다. 그녀 스스로에게 불똥이 튈까봐서.

"어…. 순간이동 능력이 있으시죠? 금방 집으로 '점프'를 해왔고요. 저희는 그런 능력을 가진 사람들을 찾아서 관리하는 조직의 사람들입니다. 잠깐 얘기 나눌 수 있을까요."
"그게 무슨 미친 소리야. 당신들 정신 나갔어? 한 마디만 더 하면 경찰을 부르겠어."

의외로, 청년은 상식적인 편이었다. 총을 꺼내들기 보다는 경찰을 부르겠다고 정중하게 협박을 하고 있었다.

홍인수는 총이 두렵지는 않았지만 일단 이야기를 하기는 해야 했으므로 입을 열었다.

"우리들도 역시 점퍼입니다. 다른 점퍼들을 찾고 있죠. 아직 사회 속에서 살아가는 점퍼들은 알아두어야 할 것들이 많이 있습니다. 남들과 다른 능력을 가졌다고, 함부로 사용하다가는 큰 변을 당하게 마련이니까요. 젊은 나이에 돌이킬 수 없는 실수들을 하고 싶지는 않겠죠."

청년의 눈동자가 흔들린다. 이미 상대들은 자신에 대해서 확신을 하고 찾아온 것 같았다. 홍인수가 말한다.

"어… 게다가 미국 정부와는 연이 닿아 있어서, 여기서 우리를 쫓아낸다고 해도 얘기 정도는 나중에 또 들어야 할 겁니다. 많은 걸 원하지는 않아요. 뭘 강제하지도 않을 거고. '세상'이 돌아가는 얘기 정도만 해주고, 연락처만 교환하죠.
어쩔 수 없는 일이 일어났을 때 우리가 도움이 될 겁니다."

그가 씨익 웃으면서 손을 내밀었다. 훤칠한 미소였다. 동양인이던 서양인이던, 결국 이목구비가 뚜렷하고 시원스레 생긴 미남은 어딜가나 비슷하게 통용이 된다.

마침 주변에는 사람이 없었다. 가정집들만 있는 거리였고, 한산하다. 이쪽 집을 찍고 있는 CCTV장비 따위는 없는 듯했다. 홍인수는 그가 손을 잡기만을 기다렸다. 청년이 머뭇거리면서, 이내 손을 내밀었다. 옌은 홍인수가 다음에 어떻게 움직일 것인지 짐작이라도 한듯, 그의 어깨에 손을 올렸다.

홍인수가 도약을 할 때, 그의 몸에 손을 댄다면 손을 댄 옌의 도약 횟수를 소모해서 그를 따라가는 일이다. 단체 도약이 아닌 추적 도약이었다. 옌도 차분하게 시간을 준다면 그 정도의 일은 가능했다.

청년이 손을 마주잡자 마자 홍인수가 곧바로 사라졌다. 옌 역시 마찬가지였다.

거리에, 문이 열린 작은 집이 덩그러니 방치되어 있었다.

*

그랜드 캐니언은 제법 웅장한 모습을 자랑하고 있었다. 한 번도 가보지 못했다면, 그 경관에서 압도적인 분위기또한 느낄 수 있다.

당신이 감수성이 풍부하다면 말이다.

스킨헤드의 백인 청년, 은 슬리퍼 차림으로 뜬금없이 미국의 대협곡에 와 있었다. 홍인수의 악수를 마주 잡았다고 생각한 순간이었다. 그는 점프를 사용하지 않았다. 사춘기가 지나서 십대의 후반 시절에 각성하게 된 능력은 그 날부터 그의 비밀이자 자랑이었다.

삶의 다양한 자리에서 다양한 용도로 써먹으면서 지내왔던 점프에 대한 비밀이 다소 그의 앞에서 풀렸다. 이 세상에 순간이동이 가능한 사람은 그 혼자만이 아니었다. 심지어 같이 순간이동을 하는 것조차 가능해 보인다. 청년은 그 점에 있어서 입을 딱, 벌리고 협곡을 처다보았다.

옆에서 보기에는 그랜드 캐니언의 장엄한 풍경에 감동을 받아 열린 입처럼 보인다.

홍인수는 마주잡은 손을 그대로 위아래로 짧게 흔들며 말했다.

"말했죠. 점퍼라고. 세상에는 약 백여 명이 넘는 점퍼들이 존재합니다. 개중 일부가 저희 조직에 속해있고, 우리는 점퍼들이 세상을 망치는 것을 미연에 방지하기 위해 움직이고 있습니다. 악의를 품는다면 어떤 개인의 힘보다 위험해질 수 있는 게 순간이동의 능력이니까요.

그리고 당신이 잘못된 선택을 하고, 틀린 길로 빠져들지 않기를 바라면서 이렇게 찾아오곤 합니다. 점프는 유용하고 특별하지만 분명 만능은 아니고, 아마 높은 확률로 악행을 저지르다 보면 실패를 하거나 저희를 다시 만나게 될 거거든요."

홍인수의 말은 제법 무서운 것이었다. 악행을 저지르다 보면 자신을 다시 만나게 된다. 어지간한 자신감이 없고는 할 수 없는 말이기도 하다. 그는 수퍼맨도 배트맨도, 정의의 히어로도 아니었지만 적어도 점퍼 범죄자들에게 있어서만큼은 비슷한 효율을 내줄 수 있는 훈련된 점퍼였다.

누구보다 능숙하게 점프를 하면서, 동시에 어떤 점퍼보다 강력한 전투력을 보유했다는 건 점퍼를 상대하는 전투에 있어서 최강이라는 말이나 다를 바 없었다.

그는 지금도 청년 같은 어리버리한 점퍼들이 네, 다섯 명이 있다고 해도 30초 정도면 제압할 수 있었다.

그 묘한 여유에서 청년은 자기도 모르는 위압감을 느끼는 지도 모른다. 그는 적당히 고개를 끄덕거렸다. 다 이해는 가지 않지만, 말에 따르면 그럴싸한 소리였다. 자신이 생각해보아도 세상에 점퍼가 그 정도 수가 있다면, 그들이 모인 조직이 있어서 그들의 폭주를 막고 통제하기 위해 움직인다는게 합리적인 이야기처럼 들렸다.

악의를 품은 순간이동 능력자가 여러 명 모여서 세상을 어지럽히려고 한다면 얼마든지 소란을 만드는 게 가능할 테였으니까.

"어… 그래서… 케이비스 씨?"

홍인수가 자신의 이름을 말하자 백인 청년, 케이비스는 화들짝 놀랐다. 별다른 트릭은 아니었다. 그들이 점퍼를 감지해서 해당 위치에 도착했을 때, 주소를 확인해서 본부 기지에 연락을 넣었다.

본부 쪽에서는 연결된 미국 단체에 요청해서 필요한 정보들을 빼어 홍인수에게 다시 전달해주었고. 점퍼들을 막는 일이라면 국가적으로도 도움이 많이 요구되는 일이다. 수월한 협상이나, 제압을 위해서라면 각국의 단체들의 긴밀한 협력이 필요했다.

"이건 제 연락처입니다. 지금까지처럼, 점퍼라는 특별한 능력에 매몰되지 말고 주변 사람들과 함께 살아가는 모습을 본다면 좋겠군요. 그러다 도저히 이겨낼 수 없는 일이 있을 때는, 연락을 하시면 좋겠습니다. 아마 당신이 해결 못하는 대부분의 일은 우리 쪽에서 해결 가능할 테니까요."

점프 능력과 관련된 문제라도 좋고, 아니어도 괜찮았다. 어쨌든 말이 통하는 점퍼에게 빚을 지운 뒤, 조직의 일원으로 받아들여서 일을 시키면 효율이 아주 좋은 거래였다.

케이비스는 고개를 어눌하게 끄덕거렸다. 연속되는 상황 속에서 그의 인지를 다소 벗어난 진행이었던 탓이다.

그랜드 캐니언의 어느 황량한 절벽 위쪽이었다. 관광객들이 잘 다가오지 않는 자리였고, 위를 날아다니는 헬기 따위도 없었다. 고원 지대의 햇살과 바람이 불어온다. 모래 먼지에 입이 조금 텁텁하다.

케이비스가 고개를 끄덕이는 걸 보자 홍인수는 그의 어깨를 두드렸다. 어려운 일은 아니었다. 다양한 정보를 심어주고, 이렇게 시간을 보며 때를 기다리면 될 뿐이다. 말이 통하는 점퍼를 만나는 건 참으로 다행인 일이었다.

홍인수는 케이비스의 어깨에 손을 얹으며 말했다.

"이해가 되었으리라 믿습니다, 청년. 그런데…."

그가 뜸을 들이다 입을 연다.

"뉴욕에 알고 있는 맛집은 혹시 없습니까? 늦은 점심을 좀 해결하고 싶은데."

짧게라도, 뭐라도 먹고 움직일 요량이었다.

*

뉴욕의 스테이크 하우스는 맛집이었다.

기지에서의 식사로 늘 입맛이 상향 평준화 되어 있는 홍인수였지만, 그럼에도 불구하고 만족스러운 식사였다.

가격대도 나오는 물건을 생각한다면 썩 나쁘지 않은 수준이었고. 오랜만에 포만감을 가득 안고 나서는 발걸음이다.

옌의 식사량은 홍인수에 비해 한참을 못 미쳤다. 체구의 차이도 있었고, 그녀는 고기만 때려 박는 식의 식사를 선호하지는 않는 듯했다. 그들은 부랴부랴, 수색을 마치고 점심을 해결했다.

케이비스는 딱히 점퍼에 대해 알고 있는 정보가 없는 인물이었다. 운이 좋은 경우라면, 한 명의 점퍼로부터 여러 인물들의 정보를 들어 줄줄이 엮어서 수색을 마칠 수도 있는데. 그런 행운이 따르는 날은 아니었던 모양이다.

지루한 수색을 마치고, 당일의 분량을 마무리했다. 케이비스를 만난 짧은 시간까지 쳐도 12-1시 사이에 뉴욕 전역을 돈 일이었다.

어지간하면 같은 달 내에, 빠르게 한 도시를 도는 것이 나았다. 점퍼들이 한 자리에 머물지 않고 자리를 옮기는 것이 엇갈리기 시작하면 영영 만날 수 없을 확률이 많았으니 말이다.

당장 옌을 활용한 추적도 그 성공률이 아주 확실하다고는 말 못 할 것이었지만 그래도 맨 바닥을 헤집는 것보다는 억만 배 나은 방법이었다.

***

어느 날 기지에서 있던 일이었다.

민서는 점퍼 조직의, 기지 내 인원들을 전부 마주하고 있었다.

시간은 22년 8월. 늦여름의 더위가 사람을 괴롭히는 시기였다. 다만 어딘가에 있는지 짐작도 잘 가지 않는 지하 기지는 냉방이 제법 잘 되는 공간이다. 환풍구를 어떻게 뚫은 건지는 모르겠다.

쾌적한 기온과 깔끔한 인테리어의 내부에서 민서는 서 있다. 나머지는 어딘가의 집합실, 혹은 회의실처럼 보이는 방에서 앉아 있다. 하얀 전등빛이 실내를 밝히는 장소였다.

세로로 긴 회의용 테이블에 앉은 인원의 수가 제법 된다. 십여 명은 앉아 있었고 나머지가 뒤편에 서서 팔짱을 껴고 있었다.

방 안의 톤은 기지의 다른 공간과 마찬가지다. 어딘가에 특색 없는 기업 사무실처럼 생긴 공간이었다. 점퍼 기지 내의 모든 공간이 디자이너의 손을 거친 것은 아닌 모양이었다. 적당히 급하게 자재를 가져다 두고 만들어낸 회의실같은 구색이다.

민서는 앞자리의 단상에 서서 그들을 바라보고 있었다. 익숙한 얼굴도 있었고, 아닌 이들도 있었다. 이미 이름도 알고 친숙한 사람도 있었다. 코드 네임을 잘 알고 자주 마주치는 인물들. 홍인수, 김만철, 스미스, 라고 불리는 송경태. 그리고 야가미 소우타도 비교적 잘 아는 얼굴이다. 조직에서 특이한 위치를 차지하는 김민서는 늘 움직일 때 조직원의 비호를 받는 일이 많았다.

홍인수나 송일우가 같이하지 못할 때는 야가미가 그의 곁에 있는 경우가 많았다. 야가미의 코드 네임은 '쉴더Shielder'였다. 따로 그가 김민서에게 코드 네임을 밝힌 적은 없었다. 그는 조직에 적대적인 점퍼들이 요인을 노리거나, 조직의 전복을 노리는 비상 상황이 아니라면 특별히 자신을 드러내지 않는다.

쉴더는 요인의 옆에 있어야 했다. 그 말은, 쉴더의 정체가 드러남에 따라 요인 역시 파악이 가능하다는 뜻이었다. 습관적으로, 코드 네임 대신 본명이나 다른 별명으로 스스로를 소개하는 경우가 많았다.

홍인수나, 송일우, 혹은 쉴더인 야가미 소우타가 그의 곁에 있다는 의미는 김민서가 조직에 있어서 상당히 중요한 위치를 차지하는 인물이라는 이야기였다. 그전까지 그는 단순히 점프의 뺑소니 사고에 휘말린 일반인이었지만, 연구부의 연구나 추리가 거듭되면서 점차 주요 인물로 떠올랐다.

그리고 어느 정도 스위스의 연구소에서의 연구와 실험, 그리고 훈련에 진척을 보이면서 '재머Jammer'라는 코드 네임을 얻기도 했고.

오늘 이 자리는 그가 정식으로 조직에 참여함을 알리는 소개의 자리였다. 김민서는, 점퍼 조직의 일원이 되었다. 어차피 어딘가에 소속되어서 일할 곳을 찾아보아야 하는 처지였으니, 김민서로서도 만족스러운 취직처를 찾은 셈이었다.

이전까지 단순한 아르바이트처럼 조직의 실험을 돕는 것보다, 정식 요원이 되는 건 훨씬 수당이 센 경우였다. 그는 직접적으로 점프를 할 수 있는 인원은 아니었지만, JE2라는 새로운 종류의 에너지를 다루는 인물이다. 그 자체만으로 모든 JE관련 연구소에서 눈에 불을 켜고 찾을 만한 인물이었으며, 또한 광범위한 영역에서 점프에 영향을 줄 수 있는 강력한 능력자이기도 했다. 점프 조직은 이런 인물들이 필요했다.

전 세계에 분포되어 있을 점퍼들에 대한 통제권을 얼마나 얻느냐, 가 결국 조직의 관건이었다. 미약한 통제력을 가질수록 점퍼 요원 외적인 인원들의 고생이 심해졌다. 조직에 속한 능력자들이 특별함을 가지며 막대한 영향력을 발휘할수록 점퍼로서의 능력을 사회의 여러 방면에 헌신에 사용하고 도움이 될 수 있었고 말이다.

김민서의 등장은 조직의 오랜 고민에 대한 해갈을 해주는 것과 같았다. 그리고 그는 연구소에서의 훈련에서 충분한 가능성과 실적을 보여주었다. 그의 발전상에 커맨더는 민서를 조직의 점퍼 요원으로 받아들이기로 했고, 그의 의사를 묻는 절차가 있었고 지금 이 자리에 이르게 된다.

'조직'에서 점퍼 요원들이 받는 기본급은 월 2,000만원 이었다. 그리고 그 외에 현장 임무의 위험도나, 시간 외 근무에 대해서 추가적인 수당이 지급된다. 세계 여러 사회에 막대한 이익을 끼치거나, 큰 재난 상황에서의 활약을 하거나, 큰 긍정적인 영향을 끼쳤을 때는 또 그만큼의 인센티브가 있었고 말이다.

이러한 활동 하나하나가 서로가 살아가는 세계와 사회 속에서 영향을 미치고, 또 그 국가의 이익으로 귀결되고, 또한 점퍼 조직이 맺고 있는 각국의 여러 단체와의 관계성에 이익을 주기 때문에 그러했다.

누구나 함부로 나설 수 없는, 총화기나 칼날이 날아다니는 전투 임무에 나서는 리시버나 소드 마스터의 경우에는 그런 전투 추가 수당이 어마어마한 편이었다. 쉬지 않고 연속적으로 나설 때는, 한 달에 십억 이상의 수당을 받기도 한다. 그것이 1차적인 추가 지급 수당이었고 일의 결과와 그것이 사회적으로 미친 영향에 따라 받는 보너스가 더 있었다.

가령, 미국에서 갑작스레 일어난 영국 공주의 납치 사건에서 활약을 했던 리시버는 영국 정부가 건 의뢰금과 소정의 감사금의 일부에서 그의 몫이 떨어지게 되었다. 점퍼 조직 자체가 원래 그러한 일을 하는 단체였기에, 거래의 관계에 있어서 지나친 폭리를 취하지는 못하지만 그래도 상당한 양을 상대편에서 챙겨주는 것이 일반적인 경우였다.

'점프'라는 막대한 초능력을 일정 금액으로 언제든 이용할 수 있다는 건, 각국의 수뇌부에게 있어서 상당히 유용한 거래처로 인식되는 일이었다. 그들이 해결해내는 의뢰에 따라 단골이 되어가는 나라들이 대부분이었다. 점퍼 조직은 나름대로 규율이 강하고, 엄정한 훈련과 기준에 따라 의뢰를 완수하는 조직이었으니 말이다.

김민서는 그런 조직의 일원이 되었다. 느닷없는 일이었다. 20대에, 할 일이 없이 그저 방구석에서 미래를 그리지 못하고 시간을 버리던 일상에서 일어난 일 치고는 말이다.

어찌 되었든, 김민서는 만족스러웠다. 점퍼 조직이 그가 죽을 만한 사지에 함부로 그를 내몰 일은 없을 테니, 두려움이야 어쨌든 지속적으로 일을 할 수도 있어 보였고 말이다. 그저 그가 눈을 한 번 꾹 감고 시키는 대로만 따른다면 어지간한 현장들은 모두 이겨 낼 수 있을 테였다. 언제나 그의 곁에 최정예 요원들이 붙어 있을 것이기에.

"엄⋯⋯."

김민서는 그런 상황에 대한 감사의 마음을 담아서, 어색하게 입을 열었다. 따로 마이크를 사용하지는 않았다. 그만큼 크거나 넓은 자리도 아니었고, 인원들도 아니었다. 평범하게 말을 하면 닿을만한 거리.

아직도 모르는 일원들이 아주 많았다. 그는 제한된 현장과 임무에만 참여를 했었고, 정식으로 혼자 움직이는 경우가 없었으니. 그리고 그건 앞으로도 마찬가지일 테였다. 점프 능력이 없는 점퍼 요원인 그는 앞으로 해결해야 할 모든 임무에 단체 도약으로 함께 움직일 조원들이 늘 필요할 테다.

그래도 비단 점퍼 요원으로서, 기지 내에 개인실을 배정 받고 그 안에서 많은 시간들을 보내다 보면 앞으로 알게 될 인물들이었다.

현재 점퍼 조직의 점퍼는 총 21명이다. 커맨더를 포함해서. 그리 넉넉하다고 볼 수는 없었지만, 전 세계에 존재하는 점퍼가 100여 명을 넘는다는 걸 생각하면 상당한 비율이 그들 사이에 속해 있었다.

그리고 그럴 일이 현실로 일어나는 경우는 드물겠으나, 존재하는 모든 점퍼들이 폭주한다고 해도 개별적으로 진압이 가능한 무력이 그들 조직의 최소한의 기준이었다. 20명의 훈련된 점퍼들이 있다면, 동시에 전 세계의 점퍼들이 능력을 사용하며 미쳐 움직인다고 하더라도 아슬아슬하게 상대가 가능했다.

무엇보다 그들만이 아니라, 그들의 도움을 받을 각국 정부와 군 등 다양한 단체들의 백업이 있을 테니 말이다.

그러기 위해서 그들은 무엇보다 강력한 강도로, 군사 훈련 따위를 받게 된다. 그들의 본질은 결국 무력을 사용하는 조직이었으니 말이다. 여성 요원도 있었고, 선천적으로 타고난 몸이 아닌 이들도 있었으나 반복되는 꾸준한 훈련 속에서 그럭저럭, 쓸만한 인원들이 되어가는 과정이었다.

그런 방향성의 사명을 책임지고 있는 것이 조직의 '코치'인, 김만철의 일이었다. 조직에는 조직의 사상과 세계 정세를 이해하고 조직의 키를 잡을 커맨더와, 조직의 무력 수준의 유지를 위한 군사 전투 전문가인 '코치'가 필수적으로 필요했다.

그리고 그 외에 다양한 고정적인 코드 네임들이 있었고.

김민서가 받은 '재머'라는 코드 네임이 앞으로까지 이어질 수 있을지는 알 수 없는 일이었으나, 일단은 조직에 있어서 가장 중요한 코드 네임이 되기는 했다. 현재 상황에서.

김민서는 좌중을 둘러보며 어색하게 말을 시작했다. 단순한 인삿말을 하는 시간이었다. 자신에 대한 소개와, 앞으로의 포부에 대한 발표. 언제, 어느 단체를 가나 하게끔 되는 그런 시간이다.

"제가, 재머Jammer입니다. 뭐…. 많이 부족합니다만, 죽지 않게끔 잘들 보살펴 주시기 바랍니다. 저 또한… 여러분의 안위를 위해서 최선을 다할 테니까요. 처음 이 조직과 마주쳤을 때, 홍인수 씨… 소드 마스터의 설명을 들으면서 상상한 모습이 있습니다. '세계 평화'를 위한 조직인가 하며 떠올린 비밀 조직의 모습입니다……. 뭐 실제적으로 하는 일들은 그다지 거창한 구석이 없을 수도 있지만…. 그래도, 기왕 무언가 한다면 평화와 정의를 위한 방향이 좋겠네요. 잘 부탁드립니다."

민서는 고개를 꾸벅 숙였다.

청년의 말은 단순하고 담백한 것이었다. 그러나 그 별 것 아닌 말에, 나름대로의 낭만이나 순정의 한 조각은 담겨서 전해졌다. 그리고 그것이 점퍼 조직에서 헌신하는 이들의 마음에도 있는 것이었어서, 그들은 민서를 흔쾌하게 받아들였다.

점퍼 조직에서 '재머'의 정식 탄생이었다.

*

22년도에 들어 조직에 새롭게 생겨난 점퍼 요원들이 많이 있었다. 그들은 이전에 없었던 새로운 코드 네임들을 받았고, 그 이름들이 앞으로도 조직에 필요한 능력들을 포함한다는 게 눈여겨 볼만한 변화였다.

'레이더'라는 이름의 옌이 있었다. 그녀는 반경 수 킬로미터에서 JE의 변화를 감지하며 점퍼를 발견할 수 있는 탁월한 추적자였다.

그리고 김민서, 라는 한국인 청년이 가진 '재머'라는 별명이 있었다. 그는 잠깐의 집중을 통해서, 근처 점퍼들의 점프를 흐트러뜨릴 수 있는 능력자였다. 또한 그 능력의 한계나 범위가 뚜렷이 정해지지 않고 계속해서 발전하고 있다는 것이 놀라운 일이었다. 그의 능력이 한계라고 할 만한 지점에 도달한다면, 어떤 능력자보다도 강력한 힘을 발휘할 지 모르는 일이었다.

그리고

블레이더blader 또한 합류했다.

어느 영화에 나오는 흑인 흡혈귀 사냥꾼은 아니었고, 한국인 청년이었다. 다소 눈매가 사납게 생긴. '송일우'의 코드 네임이었다. 그는 지난 봄, 조직의 홍인수에 의해 제압당한 이후로 순종적인 협력을 이어왔다.

점퍼 조직의 활동과 각국의 범죄에 대응하는 움직임에 있어서, 나름의 헌신을 보이며 그의 능력을 아낌없이 사용했다. 점퍼로서 움직이면서, 동시에 군사 활동의 전문가로서 강한 전투력을 보이는 요원은 귀한 편이었다. 보통은 한 쪽의 특별함을 갖지, 둘 모두를 동시에 가지는 이들은 점퍼 조직으로서도 만들어내기 어려운 편이다.

기본적으로 모든 점퍼들은 훈련을 받고, 근접 전투나 총화기 사용에 대한 실력을 쌓지만 정말로 실전에서 목숨을 걸고 움직일 수 있느냐, 고 물었을 때 장담을 할 수 있는 인물들은 많지 않았다.

점퍼라고 하더라도 총에 맞으면 똑같이 꿰뚫리고 죽는다. 순간이동을 제외하면 아무 것도 없는 인물들이 세계 각지에서 벌어지는 테러 현장이나, 범죄 현장, 심지어는 전쟁터에서 살아남기 위해서는 남다른 강인함이 필요했다. 그건 온갖 인적 자원의 백업과 기술적 지원, 최첨단 장비의 특수성을 활용한다고 해도 만들어내기 어려운 것이었다.

이 외면적인 평화의 시대에서 전쟁터로 뛰어 들어가 사선을 넘을 만한 용사들이 늘 필요했다. 송일우는 그럴 만한 물리적인 능력을 가진 이였고, 자신의 의지대로 조직에 협력했다. 조직은 공동체를 위해서 헌신을 할 인물들이 늘 부족한 입장이었고, 그렇게 그는 받아들여졌다.

물론 단순히 잘 싸운다는 이유만으로 그가 이전까지 저질렀던 행각들이 모두 말소된 건 아니었다. 일부분은, 여전히 진 빚을 갚듯이 활동하는 게 필요할 테다. 법적인 절차에도 완벽하게 자유로울 수는 없는 점퍼 조직이었기에, 어느 정도는 일반적인 점퍼 요원들에 비해 낮은 대우로 일을 해야할 시기를 가지게 된다.

엔의 경우에도 마찬가지였다. 그녀도 가진 바 능력을 조직을 위해 사용하고 코드 네임을 얻었지만, 다른 이들처럼 완벽한 자유와 대우를 받으면서 일을 하는 건 아니었다. 의무적인 헌신에 가까웠고, 일정 기간 동안은 단적으로 말해 수당이 제한된다.

그럼에도 그들이 어떤 신변의 직접적 구속 없이, 자유를 가지고, 일정량의 급여를 받으면서 일할 수 있다는 환경이 제법 근사한 것이었다. 더군다나 영구적인 것도 아니고 앞으로의 활약을 공적치로 계산해서 사법상의 형량을 삭감하듯 바꿀 수 있다는 게 아주 해볼 만한 일이었다.

보통 대부분의 사람들은 그런 기회조차 얻지 못하고, 자신이 저지른 죄에 대한 대가를 그저 받아들이는 절차밖에 겪지 못하니 말이다.

둘은 조직에 헌신적으로 임했다. 여태까지의 삶에서 사회에 분란을 만들어내는 쪽을 선택한 건, 그저 선택지가 그 쪽밖에 없었을 뿐이었다. 상황적으로, 지식적으로 무지했고 그들은 더 나은 길을 찾지 않았다. 직접 살아보니, 지금 그들이 겪는 삶 역시 그다지 나쁘지 않았음이었다.

*

"여기가 개인실입니다."

친숙한 홍인수의 소개에 민서는 자신의 기지 내 배정받은 방을 둘러보았다. '호오오오오.' 그는 나름대로 마음에 들었다. 희고 깔끔한 방이다. 혼자 살기에 부족해 보이는 공간도 아니었고. 흰 천으로 시트가 깔린 침대는 호텔을 연상시키기도 한다. 따로 기지에는 청소업자가 있어서 주기적으로 내부 먼지를 없애주고는 한다.

조직과 연이 닿은 다양한 단체에서 주관하는 고용인들로, 신뢰성에 있어서도 그다지 떨어지지 않는 이들이었다.

어쨌든, 적어도 처음 그가 스스로 구한 청량리의 원룸보다는 훨씬 나은 처지였다. 설비도 최신식으로 되어있었고. 무엇보다 조금만 걸으면 기지 내 식당이 있어서 고급 요리를 공짜로 먹을 수 있다는 점도 컸다. 그는 자신의 삶의 질에 굉장히 만족했다.

"이런 호사를 누리다니."

앞으로의 시간들은 돈을 쓸 여유가 없는 일상이 될 확률이 높았다. 사람이 상상할 수 있는 다양한 종류의 초능력 중 '순간이동'

능력을 가진 특수 요원들의 모임이라면, 필연적으로 그렇게 될 수밖에 없었다.

세상에는 특수한 능력을 필요로 하는 공간들이 아주 많았고, 순간이동은 전 세계 각지의 고민들에 대해 즉시 응답할 수 있는 종류의 능력이었으니 말이다. 점퍼 조직의 요원들은, 그들의 능력의 성질상 눈코 뜰 새 없이 바쁘다.

물론 지나친 임무 할당으로 피로도가 과중되는 것은 지양하고 있지만, 적어도 아무런 일도 없이 여유롭게 휴가를 떠나는 일은 많지 않았다. 고작해야 임무와 임무 사이에, 잠시 여가 시간을 즐길 뿐이다. 그러다가도 비상이 터지면 여지 없이 복귀해서 조직의 행동에 동참해야 했고.

홍인수는 김민서의 말에 피식 웃으면서 대답했다.

"그만큼 많이 부려 먹으니 주는 혜택들입니다. 특히 당신 능력은 모든 종류의 임무에 필요하게 될 지도 몰라요."

JE2는 점퍼가 있는 상황이라면 언제든지 유용하게 쓰일 수 있는 능력이었다. 점퍼가 없으면 그의 능력 또한 무용하지만, 점퍼들에게는 절대적인 영향력을 발휘한다. 그는 현장에서도, 혹은 기지 내의 점퍼들을 상대하게 될 때도 고생을 해야 할 지 몰랐다.

"뭐 어차피 지나가는 젊음을 이곳에 투자를 좀 해 보죠."

민서의 대답은 홍인수로서는 기꺼운 것이었다. 그들 역시 그러고 있다. 자각하든, 하지 못하든. 점퍼 조직의 일들은 그저 지나가는 일처럼 하고 때울 수 있는 것들이 아니었으니. 누군가의 인생을 상대하는 수 많은 의뢰들은 그들 역시도 자신의 인생을 갈아 넣어야 진행할 수 있는 일들이다. 그들은 이 건물과 사람들, 조직에 남다른 애정과 애틋함을 가진 이들이 많았다. 그다지 내색은 하지 않지만 말이다.

그가 정식 요원이 되고 나서 여러가지 것들을 받게 되었다. 늘 소지하고 다녀야 하는 통신기나, 세계 어디에서나 연락이 가능한 위성 전화. 장비실에서 받게 된 다양한 전투 현장의 착용 장비들. 그리고 그가 전용으로 쓸 수 있는 작은 권총 역시 하나를 받았다.

민서는 그것을 받았을 때는, 그저 손 위에 올려 두고 멀뚱히 한참을 쳐다 보았다. 난데 없이, 한국의 20대 청년에 불과한 그에게 주어지는 것 치고는 제법 부담감이 있는 물건이었다. 기록은 남겠으나, 원한다면 신청만으로 얼마든지 실탄을 지급 받을 수 있었다.

물론 그것을 다루기 위해서 손에 피가 나는 훈련을 이수해야 했지만 말이다. 김민서는 어느 순간부터 단순한 체력 훈련과 격투(일

122

방적으로 굴림 당하는)훈련 외에도, 총화기를 다루는 훈련 시간을
가졌다.

나름대로 익숙은 하지만, 자기 스스로 어디에서나 쓸 수 있는
물건이라는게 놀라움이었다. 이 조직은 대체 자신의 무엇을 믿기에
이런 것들을 쥐어주는가, 싶은 심정.

그러나 곧 그런 것들이 반드시 필요한 상황에 놓이게 될지도 모
른다는 암시이기도 했다. 적대적인 점퍼가 있는 곳에는, 언제나 그
가 또한 가게 될 테였으니.

"앞으로 많은 시간을 보낼 곳입니다. 기지 이곳저곳을 좀 둘러
보고, 내부 인원들이랑 편하게 이야기도 좀 나눠보고 그러십시오.
나가고 싶을 때는 비번인 인간 아무나 붙잡고 외출을 하시고요. 아
마 저나 리시버가 비번일 때는 저희에게 부탁하는 게 좋을 겁니다.
남들보다 도약 횟수가 많으니."

홍인수의 설명에 민서가 고개를 끄덕였다. 기지는 나름대로 만족
스러웠지만 나갈 일도 분명 많을 테다. 인간 관계가 극단적으로 협
소한 그였으나 그래도 사람을 만나지 않는 건 아니었다. 한국에서
봐야 할 사람들도 있었다.

"부탁 좀 드리겠습니다."

그의 말에 소드 마스터는 웃으면서 어깨를 쳤다. 습관적으로 자주 하는 행동이었다. 제법 아프다.

그리고 또 하나 달라진 점이라면, 그가 조직의 정식 요원이 되면서 받는 훈련의 양이 더 늘어났다는 것이었다.

이전에는 평일에 연구소에서 훈련을 하고, 주말에는 체력 훈련을 했다. 이제는 평일에 실험과 훈련에 할애하는 시간도 늘었고, 체력 훈련도 동시에 겸했다. 김만철은 좋아라 하는 것 같았다. 김민서는 이해할 수 없는 심리였지만, 그 중년의 교관은 사람을 굴리면서 행복을 찾는 것 같기도 했다.

어쨌거나 좋든 싫든, 빠르게 그는 다양한 상황과 움직임에 익숙해져 갔다. 물리적으로 말이다. 그런 시간들이 반복되자 어느 정도 자신감 역시 생겼다. 어떤 현장 임무에 끌려가도, 쉽게 죽지는 않겠구나 하는. 이전까지는 어떤 반응도 하지 못하고 무력하게 도탄에 맞아 쓰러지는 상상까지 하고는 했지만, 지독한 시간들을 거치면서 현장에서의 돌발 상황들에 반응하는 것까지 머릿속에 그려지기 시작했다.

자연스레 자신이 할 수 있는 움직임들을 추가하자, 나오는 가능성 높은 상상들이었다.

*

아직은 한참이나 부족하다, 고 김민서는 생각했다.

어두운 방이었다. 그가 있는 곳은. 정확히 말하면, 대형 창고 따위다. 항구에서 화물선에 적재되어 실려 나가는 물건들이 잔뜩 있고, 컨테이너 박스 따위가 여기저기 널브러져 있는 다소 오래된 창고.

항구에 있었으며 조용하고 인적이 없는 곳이었다. 어느 비밀스런 어둠의 조직 따위가 거래 장소로나 쓸 법한 그런 곳이다.

그리고, 안타깝게도 실제로 그런 조직이 뒷거래를 하기 위해 사용중이었고.

김민서는 그런 거래 현장을 덮친 처지였다. 정확히 말하면 그가 한 건 아니다. 단순히 그는 옆에 있을 뿐이었다.

현장 경험의 축적을 위해 따라나선 순간이었다. 부상의 위험이 있기는 하지만, 사실 조직에서 점퍼 요원들에게 제공하는 특수 방탄복 따위를 전신에 착용하고 있다면 어지간해선 다치기도 쉽지 않다.

그저 살기 넘치게 총구를 겨누며 욕설을 하는 범죄자들과 상대를 하고, 운이 나쁘면 몇 발인가 몸에 박혀서 체감상 헤비급 복서의 맨주먹을 맞는 느낌을 경험할 뿐이다. 그가 입은 옷은 총알에 뚫리는 종류는 아니었다. 인생에 대해서 다시금 되돌아볼 만큼 더럽게 아픈 체감만 허용하는 종류였지.

민서는 어느 방치된 컨테이너 박스의 뒤켠에 몸을 웅크린 채 있었다. 양 팔로 귀를 감싸고, 황급히 바닥에 엎드린 자세이다. 일부러 하라고 해도 하기 어려운 수준의 꼴사나운 모습이었지만, 실제로 금방 근처로 총알이 지나가는 경험을 했다면 이야기가 달라진다.

그의 곁에 있는 것은 홍인수와 리시버였다. 두 사람이 동시에 임무에 나서는 건 그리 자주 있는 아니었다. 그만큼이나 확실하게 일을 끝내고자 할 때, 조직에서 사용하는 방법이기도 하다.

그리고 둘 만도 아니었고, 다른 백업 요원들도 있었다. 비점퍼 요원들로, 근처 나라에서 지원을 받아 온 인원들도 있었고 점퍼 조직 내에서 함께 단체 도약으로 온 이들도 있었다.

그들은 필리핀의 어느 항구 도시에 있는 범죄 조직을 소탕하러 온 참이었다. 예전 '윤민혁'이 조직적으로 일을 일으키려고 했을 때 연을 맺었던 조직이었다. 그는 동남아를 기반으로 국제적인 다양한 범죄 조직과 연계해서 더욱 큰 분란을 일으키려고 했었고, 그 계획을 키워나가는 중간에 홍인수에게 걸려 붙잡혀 들어오게 된다.

그 팀에 속해 있던 송일우와 옌이 점퍼 조직의 편에 서게 되었으니, 자연스레 다양한 정보들을 입수할 수 있었고 이번 소탕 작전은 그 정보에 대한 대응이었다.

점퍼에 대해서 알게 되었을지 모르는 범죄 조직들을 굳이 남겨둘 필요는 없었다. 민간인들에게도 정보를 통제하는 와중에, 어떤 계획을 세울 지 모르는 음흉한 이들에게 불필요한 정보를 줄 이유가 없다. 가급적이면, 뿌리를 뽑고 와해시키는 게 좋은 방법이었다. 그를 위해서 가장 간편한 건 무력을 사용한 진압이었고.

후욱, 하는 바람이 스치는 듯한 기묘한 소리가 어두운 창고 곳곳에서 난다. 급조해서 달아둔 듯한 전구나, 백열등 따위가 빛을 밝히는 곳이었다. 이곳에 익숙한 자라도 흔들리는 전등빛 아래서 완전하게 윤곽을 구분하는 게 어려운 장소이다. 오래도록 방치되어서 메마른 먼지 따위가 날아다니고, 고요한 장소였다.

한 밤의 필리핀, 어느 항구 도시의 인적 드문 창고에서 총격전이 벌어진다. 필리핀의 공적 단체에는 여러모로 언질을 주고 협조를 구해둔 상태였다. 그랬기에, 필리핀 쪽의 특수부대 인원들을 백업으로 얻은 것이었고.

투두두두! 하고 기관단총이 총알을 쏘는 소리도 간혹 들렸다. 전체적으로 백업 요원들은 차분하게 몰이를 하고 방진을 형성하는 정도에서 그 역할을 마친다. 지나치게 무리해서 교전을 하지 않더라도, 어차피 점퍼이자 특수 전투 요원이라는 사기적인 능력을 가진 리시버나 소드 마스터가 마무리를 해준다.

변변찮은 장비도 없이, 그저 총질만 해댈 뿐인 범죄 조직은 그들에게 있어 아주 쉬운 상대였다. 적절히 위치만 확인한다면, 그들은 혼자서 수십 명도 처리가 가능했다. 둘은 임무에 권총만을 들고 온 상태였고, 늘 그렇듯 신속한 반사 신경으로 상대의 사지를 노리며 제압을 시도했다.

비명 소리가 터져 나온다. 필리핀어나, 영어로 욕설이 튀어나오는 것도 같았다. 어쨌든 간간이 울리는 총성과 찢어지는 괴성 소리에 섞여서 제대로 들리지는 않는다.

민서는 백업 요원들보다는 교전 위치에 가깝게 있었고, 홍인수나 최길우가 있는 곳에서는 떨어진 곳에서 바닥에 엎드려 있었다. 창고 바닥이라, 차갑고 딱딱하다. 그는 자주 바닥과 접하는 것도 같았다. 러시아에서도 그랬다. 그 동안 많은 훈련을 받고, 또 경험도 했으니 그 때보다는 대담하게 굴 수 있을 줄 알았지만 실탄이 날아든다는 걸 인식 하자마자 별다를 바 없는 모습이 나타났다.

맞아도 죽지 않는다는 걸 알아도, 어쩔 수 없는 일이었다. 인간은 누구나 공포와 고통을 싫어하고 김민서는 그달리 특출난 정신력을 가지진 못한 이였다.

김민서의 체감 상에서, 교전 시간은 깨나 길었다. 실제로는 그리 길지 않았다. 10분에서 15분을 넘지 않는 시간 동안 계속되었고, 리시버와 소드마스터는 여유롭게 상대들을 제압했다. 창고 내부에 모인 범죄 조직의 일당들만 30명 가까이가 되었다. 각자가 총기를 들고 저항을 했지만, 무의미한 시도로 끝나고 말았다.

필리핀 쪽에서 지원해준 특수부대 병력들이 확실하게 조직원들을 몰아넣고 퇴로를 차단했다. 그들만 1개 소대 분량이었다. 약 20명 정도의 인원들. 점퍼 조직에서 함께 넘어온 백업 전투 요원이 4명이었다. 그들 모두 엘리트였고, 노련한 베테랑들이다. 각이 나타날 때마다 능숙하게 제압을 해낼 정도로 말이다. 목숨을 빼앗는 일 없이.

최길우는 천장이 높은 창고 내부에서, 컨테이너 박스 위나 허공 따위등에 계속 출몰하면서 총을 쏘는 묘기를 보여주었다. 소드 마스터도 크게 다르지는 않았으나 그는 침착하게 한 명 한 명의 뒤를 잡으면서 무력화시켰다. 나름대로 리시버가 하는 행동에 힘을 빼고, 여유를 부리는 지도 모른다.

작은 상처나 피격 한 번 없이, 범죄조직은 무사하게 소탕이 되었다.

그리고 이제부터 시작이었다. 이들의 증언을 바탕으로, 윤민혁과 깊게 얽혀 있는 여러 조직들을 아작 낼 생각이었다.

민서는 처음부터 끝까지 엉덩이를 치켜들고 바닥과 마주하고 있었다. 두려운 건 어쩔 수 없는 일이었다.

*

결국 동남아 순회는 김민서에게 트라우마를 선사했다.

더 이상 휴양지의 이미지는 아니었다, 적어도. 총알이 빗발치며 고함과 괴성이 오가고, 피가 튀기는 그런 장소였지.

동남아권에 있는 수위에 드는 조직들을 모두 소탕하기까지 채 몇 주가 걸리지 않았다. 홍인수나 최길우가 얻는 피로도도 상당했다. 부상을 당하지 않았다지만 전투를 지속하는 건 요원에게 지대한 피로감을 주는 행위였다.

그들과 함께 휴식을 취하고, 임무를 맡으면서 김민서는 억지로 현장에 적응하게 되었다. 늘 어째서인지 억지로 적응하게 되는 일이 많은 것 같았지만, 점퍼 조직은 적어도 그를 안전하게는 대했다. 김만철과 홍인수에게 굴려지던 것이 다소 장소가 바뀌었다고 생각하면 괜찮,

지는 당연히 않았다. 맞아도 죽지 않는다는 걸 알아도 총알은 더럽게 무섭다. 풀 페이스 헬멧을 끼고 있다고 하더라도 긴장감에 감각이 맛이 가면 자신이 머리에 뭘 뒤집어 쓰고 있는지도 모르게 된다.

그런 상태에서 그가 권총으로 엄호 사격을 할 수도 없었다. 눈 깜빡하면 조준점이 흔들려서, 최악의 경우로 운이 좋다면 번쩍거리며 이동하는 홍인수나 최길우의 등을 노릴 수도 있는 것이었다.

그저 그 현장의 소음과 분위기, 공포감에 적응하기 위해 김민서는 애를 썼다. 그나마 그에게 남은 것은, 현장을 돌며 얻은 인센티브 뿐이었다. 그가 현장에서의 임무 수행을 위한 공로가 적었기에 별다른 포상금은 나오지 않았지만 기본적으로 주어지는 위험 수당들은 꼬박꼬박 그의 통장에 찍히게 되었다.

그저 고개를 처박고 있거나 부들부들 떤 것 밖에 한 일이 없는 때도 많았으나, 점퍼 조직은 그것을 그의 임무 수행이라고 봐주는 듯했다. 그로서는, 여태껏 찍혀본 적 없는 액수의 금액을 벌어들이

게 되었다.

기꺼운 일이었지만, 당장은 쓸 곳이 없었다. 그는 조직에 투신하는 것 외에는 별다른 계획이나 할 일이 없었다. 하고 싶은 일, 즐거운 일, 좀 더 거국적인 목표를 찾는 것이 그에게 당면한 과제였다.

그리고 지금은 김수정과 일단 밥을 먹으러 온 상태였고.

"음… 돈까스가 맛있긴 해?"

그는 남산의 어느 돈까스 맛집을 벤치마킹했다는 서울의 돈까스 집에 앉아 있었다. 돈까스는 언제 먹어도 맛있다. 대부분의 식사를 돈까스로 해결해도 좋을 정도로. 영양분에 문제가 없는지는 잘 알수 없었다. 일단 돈까스를 시키면, 잘게 썬 양배추도 대개는 나온다.

"음… 이 집은 소스가 맛있네."

그 앞에서 수정은 열심히 돈까스를 잘라서 먹고 있었다. 흔한 돈까스였다. 다만 소스를 조금 신경 써서 만든 듯, 과일 향이 은은하게 나고 달큰한 맛이 나는 게 고기의 맛을 잘 살려주었다. 고기도 적절히, 질 좋은 생고기를 썼는지 흠잡을 데가 없었다. 맛집 인정.

"가격도 괜찮고. 이 정도면 자주 올 것 같은데."

어지간한 2인분에 가까운 큰 크기에 그다지 비싸지도 않았다. 9,000원. 결국 수정은 남기고야 말았다. 민서는 최근에 다양한 일을 겪는지, 먹는 양이 늘었다. 당장 홍인수에 의해 굴려지는 것만 해도 남다른 운동량이었다.

"음. 쩝. 그러게. 확실히. 집 근처면 더 좋았을텐데."

청량리나, 성북구 부근에서는 다소 먼 곳이었다. 홍대는. 일부러 누구를 만나러 오지 않는 이상 개인적으로는 찾아올 일이 많지 않을 테다. 자가용이라도 있지 않는 이상은.

"체크 해둬야겠어."

그녀는 꼼꼼한 편이었다. 늘 공부를 잘하는 쪽이었고. 민서로서는 평생 하지도 않을 다양한 일들, 무언가를 기록해 둔다던가, 체크 리스트나 계획표를 짜서 움직인다던가- 하는 일들을 곧잘 하고는 했다. 민서는 그런 모습을 볼 때마다 신기함을 느낀다. 누군가 시킨다거나, 필연적으로 해야 한다거나, 혹은 갑자기 별다른 생각이 나서 이상한 짓을 하고 싶을 때가 아니면 굳이 하지 않는 일이었다.

자기랑 다른 사람의 모습을 볼 때마다 신기한 건 어쩔 수 없는 일이다.

"그렇게 살면 피곤하진 않니."

민서의 물음에 수정은 그게 웬, 뚱딴지같은 소리냐는 듯한 찡그림을 지어 보였다. 이내 곧 돈가스 집 이름을 메모해두겠다는 말에 한 질문임을 알곤, 대답했다. 그녀는 조금 전에 식사를 마치고 식기를 내려놓은 상태였다.

"갑자기? 피곤하진 않지. 이렇게 안 사는 네가 더 피곤할 것 같은데 나는."

반면 수정의 입장에서는 민서의 삶이 더 유난스러운 종류였다. 그는 남들이 하라는 것, 에 일일이 죄다 질문을 던지고선 자기가 필요를 납득하지 못하면 잘 하지를 못하는 편이었다.

그리고 그런 속내는 어쨌든 수정이 보기에는, 일부러 굳이 힘든 길을 가는 인간처럼 보이고는 했다.

주어진 메뉴얼을 따른다거나, 미리미리 하면 얼마나 좋은가. 김민서는 대부분의 일에 무관심한 듯한 표정으로 있다 화를 당해야만 움직이는 인간이었다. 그녀의 눈에.

"피곤이라…."

확실히 피곤하기는 하다. 삶은 피곤이었다. 중요한 가치를 많이 놓치며 사나도 싶었다.

"후회가 많습니다. 참."

김민서가 돈까스를 먹다 말고 고개를 떨구었다. 김수정은 뭐하냐는 듯 핀잔을 주며 그를 기다렸고.

*

수정과의 만남은 늘 리프레시가 되는 시간이었다. 단조로운 삶은 그에게 지루함을 주고는 했는데, 나름대로 활력이 되는 시간이다, 늘.

둘 다 연인이 없어서인지도 모른다. 어쨌거나 지겹고 또 즐거움이 필요한 시기에 가끔 만나 이야기를 나누는 건 활기를 돋구는 일이었다. 늘 집구석에 처박혀서 혼자만의 생각에 매몰되는 것보다는, 누구라도 보고 담소라도 나누는 편이 나았다.

처지가 비슷하다, 는 게 둘이 만나게 되는 주요한 이유일 지도 몰랐다.

*

조직에도 여자 요원은 있었다.

메리 포핀스, 라는 미국인 여성이었다. 훤칠한 키에 적발을 흐뜨러뜨린 그녀는, 어릴 때부터 유명한 소설의 제목과 같은 이름 때문에 많은 스트레스를 받아 왔다. 마법을 사용하고 문제를 해결해주는 신비한 보모에 관한 이야기였는데⋯ 그녀는 별로 좋아하지는 않았다.

자신의 이름과 꼭 같기 때문에 오히려 거리감이 생겼는지도 모른다.

170이 넘는 장신에 어깨 즈음까지 오는 머리를 풀고, 조직의 요원답게 전투까지 가능한 탄탄한 체형을 가진 여성이었다.

'점퍼' 요원이었고, 조직에서 일한지 근속 10여 년이 다 되어가는 정예이자 베테랑이었다.

그녀 역시 코치 김만철에 의해 훈련을 받았고, 남다른 전투 능력을 보유한 인물이었다. 점프를 이용한 다각적인 전투에 능숙하고 각종 무기를 잘 다루는 편이라, 어지간한 훈련받지 못한 남성이라면 경우에 따라 십 수명도 순식간에 정리할 수 있었다.

체력의 소모를 막아줄, 훌륭한 무기가 있다는 전제 하에 말이다.

메리는 이목구비가 크고 시원스레 생긴 여성이었다. 그리고, 야가미와는 남다른 사이를 자랑하고 있었고. 김민서는 그 사이에 끼어서 점심 식사를 하고 있었다. 도쿄의 어느 메밀 소바집에서 말이다.

"후루룹……."

별 말도 없이 국물을 마시고는 눈동자를 뒤룩뒤룩 굴렸다. 야가미와는 나름대로 내적인 친밀감이 형성되어 있었지만 메리와는 다른 이야기였다. 조직에 정식으로 들어서서 인사를 나눈 것이 거의 만남의 전부라 할 수 있었다.

김민서는, 그럴 이유가 없다면 사람에게 다가가는 걸 어려워하는 내향적인 인간이었다.

메리가 서양인 답잖게 능숙하게 젓가락질을 하며 말했다.

"당신이 이곳에 불려온 이유는 이해하고 있는 거죠?"

민서는 메밀면을 호로록 흡입하다가 대답을 궁리했다.

"…제가 무슨 죄를 지은 겁니까?"

물론 농담이었다. 그는 조직의 의뢰 수행을 위해 와 있었다. 명료한 요인 보호의 임무였다.

점퍼 조직과 연이 닿아있고, 외교 무대에서 활약하는 외교성의 부대신이었다. 미국과의 정치적 연계와 협력 프로젝트를 위해서도 힘을 쓰는 양반이었는데, 최근 일본 극우 성향의 단체로부터 협박을 받고 있었다.

단순한 극우 너머의 비상식적인 사상과 행동력을 가진 단체로, 사이비 종교나 테러의 위험이 있는 범죄 조직과도 연계가 되어 있다는 정보였다.

주로 한-미-일까지의 공조와 자유주의 세계의 안녕을 위해 일하는 자였으므로 도중에 급사하게 된다면 안정적인 세계 정세와 발전을 위한다는 점퍼 조직의 목적과도 멀어지는 일이었다. 일본 정부로부터 의뢰를 받게 되었고, 적절한 페이를 받는 선에서 흔쾌하게 승락했다.

게다가 정보를 파헤치는 중에 알아낸 사실은, 연이 닿아 있는 비상식적인 정치 단체와 사이비 종교, 테러 조직 중에 점퍼가 있을지 모른다는 이야기였다.

그간 다양한 종류의 범죄를 저질러온 그들의 연계는 일반적인 상식으로 설명이 되지 않는 부분들이 있었다. 증거도, 흔적도 없으며 현대 사회에서 불가능에 가까운 일들을 자연스레 해내는 존재들을 생각해본다면, 점퍼의 능력을 끼워넣을 때 답이 나오는 경우들이 있었다.

물리적인 한계를 가진 일반적인 사람, 개중에 청년 남성 정도의 인물로 추정하고 있었다.

점퍼가 적이라면 요인 경호에 '쉴더'는 빠질 수 없는 존재였다. 그는 자신의 주변으로 도약을 해오는 전조를 누구보다 빠르게 캐치하고, 그 흔적으로부터 JE의 작용에 간섭해서 도약을 막아낼 수 있었다.

이질적인 형태의 도약 재밍이라고 볼 수 있었다. 점프를 해내는 지점, 이 쉴더의 손 근처에 있어야 하며 그것을 막을 때마다 본인의 도약 횟수를 1회 소모한다.

절묘한 감각과 컨트롤이 필요한 기예였다. 이로 인해 초근접 거리에서의 점퍼의 암살을 막을 수 있었고, 중무장 수준의 방어구를 장비한 경호원이 있어서 다른 방법으로의 공격에 대비해야 했다.

'점퍼'가 자신의 목숨을 도외시한 채 암살을 걸어 온다면 그야 말로 세상에서 가장 방어하기 까다로운 임무이기는 했다. 가장 간단한 막말로 한 명의 사람이 들 수 있는 무게가 적어도 수십 키로 는 되니, 그만한 분량의 폭탄을 들고 조금 떨어진 거리에 나타난 뒤 터뜨려버리면 일반적으로는 막을 방법이 마땅찮았다.

물론 그런 일들을 막기 위해 이쪽도 점퍼가 있어야 하는 것이었 고. 한 순간에 벌어지는 점프에 반응해서 요인을 데리고 단체 도약 을 해야 했다. 비점퍼 인원의 생명을 생각한다면 두 명당 한 사람 의 점퍼가 있어서 함께 움직이면 가장 좋았다.

그리고 이런 종류의 임무에 가장 힘을 잘 발휘할 수 있는 것이, 이번에 새롭게 조직에 합류한 '재머'였다. 김민서의 코드 네임이었 다. 살아있는 천연 점프 재밍 장치.

그가 발휘하는 JE2의 범위는 기본적으로 수십 미터 정도의 거 리를 포함했다. 게다가 그의 집중과 선택적인 조작에 따라 더 늘어 나기도 한다.

재머의 존재를 짐작도(조직 역시 실제로 만나기 전엔 그러했다)

하지 못할 상대들로서는 심대한 타격이 될 지도 모른다.

계획은 간단하다. 인명 피해를 줄이기 위해서, 일정한 자리에 덫을 깔고 상대를 기다린다. 그로부터 다소 거리가 있는 자리에 민서를 두고 그가 과학자들이 말하는 ME의 발동을 위해 계속 집중을 한다면 효과 범위는 누적되며 커진다.

범인이 누구이고 어떤 상황을 상정했든 자신이 목숨걸고 정밀하게 계산한 도약지로부터 수십 미터가 옮겨져 있다면 당황하지 않을 수는 없을 테였다.

그 도약의 오차는 보통 민서가 있는 위치로의 이동으로 이루어진다. 상정한 도약지에서 민서가 있는 방향으로 이끌려오는 것이다.

그렇게 될 때, 상대가 자폭을 각오한 테러를 준비했다면 도리어 민서가 위험해 질 수도 있었다.

그렇기 때문에 한 명의 점퍼가 더 필요했다. 메리와 민서가 한 조였다. '쉴더'인 야가미가 요인의 곁에서 근접 거리에서의 도약을 막아서고.

의뢰를 받고 정해진 시간 전에 점심을 먹는 도중이었다. 그들은 일본, 도쿄에 함께 점프로 이동해 왔다. 외무성 부대신인 하야시 순스케가 일정을 시작하기 전까지 시간이 있었다. 그가 위협에 시달리며 불안에 떨면서, 위치가 숨겨진 안가에서 출퇴근을 하고 경호원들을 대동하며 움직이기 시작한 지 얼마 되지 않은 시점이었다.

미국과 일본 사이에 진행 중인 주요한 경제적 협약이 결정되기 전에 일을 벌일 가능성이 있었다.

그가 외부 일정을 하기 위해 안가에서 나오는 시간이 그들이 일을 시작할 때였다.

"후릅."

민서는 메밀 소바에 간장을 찍어 먹었다. 잘은 모르지만 본고장이라 할만한 일본에서 먹으니 더 맛이 있는 것도 같았다. 거듭 말하지만, 민서는 맛은 잘 몰랐다.

사이드 메뉴로 각종 튀김을 시켜서 배불리 먹었다. 야가미 소우타는 도쿄에 올 때마다 들르는 집이라면서 능숙하게 시켜서 물에 들어가 있는 메밀 국수를 먹었다. 메리는 메밀 튀김 국수를 먹었고.

작고 허름하고, 나름대로 운치나 정감이 있는 공간이었다. 그들은 시간에 맞춰 식사를 마치고 일어섰다.

버는 돈에 비하면 약소한 식사였다. 가격을 지불하고 주인장과 친근하게 인사를 한 뒤 가게를 나선다. 도쿄의 거리는 번화가나 중심구로 가면 번잡하지만, 한적한 곳도 나름대로 존재했다. 시외에 가까운 지역들.

일본의 거리는 관광객들의 평으론 청소가 잘 되어있다는 이야기가 유명했다. 사람들이 자주 다닐만한 곳들, 혹은 별다른 일이 없는 가정 주택의 근처에는 해당되는 이야기인 듯했다.

혹은 사람들이 신호등 따위의 것들을 잘 지켜서 혼자서 규칙을 지키지 않는다면 눈에 띈다는 이야기도.

그들은 작은 식당을 나서서 주택가로 들어섰다. 사람이 잘 보이지 않는 어딘가의 골목이었다.

현대 도시의 이곳 저곳에는 늘 CCTV가 있게 마련이었다. 순간 이동을 해도 괜찮을만한 곳들을 눈여겨 봐두는 것도 현대 도시에서 많은 임무를 수행하는 점퍼의 소양 중 하나였다. 이곳은 완벽한 사각이었다. 거리를 지나다니는 이들도, 점심 무렵에는 없다.

고작해야, 근처 학교에서 말썽을 피우고 거리를 배회하는 양아치나 한량들이나 있을 법하다. 그리고 오늘은 그런 이들도 없는 모양이었다.

야가미가 담벼락에 등을 기대며 둘을 바라보았다. 메리 포핀스. 그의 연인이었다. 시원스런 성격에, 마찬가지로 뚜렷이 생긴 인상과 이복구비는 그녀의 장난기 서린 표정을 더욱 부각시켜준다.

그리고 민서에게 손짓을 해서 그의 어깨에 손을 대었다. 별 말은 필요 없었다. 이곳에 오기 전에 이미 임무의 진행에 관한 것들은 대강 브리핑을 받고 온 상황이다.

이대로 외부 일정을 위해 안가에서 출근하는 외무부대신을 찾아가서, 그와 함께하면 된다. 경호 임무는 그에게 있어서는 나름대로 압박감이 있는 현장 임무 중 하나였지만 여타의 전투 요원들이 맡게 되는 전투에 비하면 한가한 부분이 있었다.

긴장감을 늦추지 않고 적을 기다려야 하지만 전장터에 뛰어 들어서 시종일관 총을 쏴대고 교전을 벌이는 것보다야.

일본의 어느 한적한 골목에서, 야가미 소우타가 단체 도약을 했다. 메리와 민서의 어깨에 손을 얹은 채로, 사라진다. 후욱, 하는 아주 작은 효과음과 함께 어느새 그들의 모습이 자리에 없었다. 가을을 바라보는 점심 무렵의 일이었다.

*

3.가을 이야기

9월 1일.

가을의 초입이다.

여름의 더위도 어느샌가 한 풀 꺾이고, 약간은 쌀쌀한 바람에 대비해 옷을 여며야 하는 계절이 다가온다.

민서의 외로움도 그에 맞추어 더욱 커져갔다,

라기보다는 언제 어디서 미치광이 습격자가 나타날 지 모른다는 생각에 식은땀을 흘리고 있었다.

그는 카페에 앉아 있었다. 야가미 소우타와, 하야시 슌스케 외무부대신은 광장 같은 곳에 자리를 잡고 있었다.

외부 일정은 이미 어느 정도 얼추 본 상태였다. 어딘가의 고급 호텔, 식당, 혹은 대사관. 다양한 곳들을 지나면서 스케줄을 소화하는 그는 바쁘게 돌아다녔다. 그를 따라다녀야 했던 점퍼들도 마찬가지였고.

미국, 일본의 경제계 인사들과 정계 인사들을 두루 만나면서 이후 이루어진 협약에 대해 토의하고 또 진전을 시켜 나갔다.

공산업 계열의 대형 기업들이 국책 사업과 맞물려서 규제 완화를 받고 좀 더 본격적으로 시장을 공유하며 협업하자는 이야기였다.

하야시 슌스케는 나름대로 정정한 풍채의 50대 초반의 남성이었다. 중년을 넘어서는 나이라지만 나잇살이 있어 보이지도 않았고, 운동으로 관리하는 듯 청년기에 비해 그리 뒤지지 않는 몸매를 가지고 있었다.

수트가 잘 어울리고, 멀끔하게 다니는 젠틀한 신사였다. 그는 일본과 자유주의 체제 아래에서 다양한 나라들의 동맹을 위해 정력적으로 뛰어 다니는 인물이었다.

한 개의 나라 뿐만이 아니라 다양한 나라들의 공조에 힘을 쏟고 영향력을 발휘한다는 점에 있어서 핵심적인 인물이라고 할 수 있었다.

이런 이를 노린다고 하는 범죄 단체나 사이비 종교 단체 또한, 나름대로 세계 정세를 읽는 눈 정도는 가지고 있는지도 몰랐다. 누구의 발목을 걸어 넘어뜨려야 가장 큰 사고를 내고 세계적으로 악영향을 끼칠 수 있는가, 를 이해하는 행동과 선택이었다.

하야시는 자신의 중요한 일정들을 다 마치고, 낮에서 저녁으로 넘어가는 무렵 한적한 어느 청사 근처의 광장에서 머무르며 시간을 보내고 있었다.

그를 위협하는 협박자를 낚기 위해서였다. 계속해서 끊임없이 불안 요소를 가지고 활동을 하는 것보다, 차라리 겨냥하기 쉬운 빈틈을 만들어 주어서 미끼로 낚아 올리고 불안을 제거하는게 앞으로의 행보를 생각해보면 훨씬 나은 일이었다.

10월 전에 미국의 인사들이 한 번 더 일본을 방문해서 열리는 포럼에 참여하고 진행하는 협약에 대해 확정을 내린다. 경제적 공조는 곧 각국의 정세와 안보에 대한 협약으로 이어질 것이고, 각

시장의 안정성이 자국의 이익에 도움이 되는 이상 군사적인 협약으로 이어지기에도 쉬운 수순일 테였다.

공조와 협력, 발전을 저해하고 분란을 일으키기 좋아하는 불만 많은 사이코들은 그 전을 노릴 테였다.

이미 외무 부대신에게 협박 편지를 보낼 정도의 인물들이니 최악을 상정하면 언제나 시기를 노리고 있다고 생각하는 게 합리적인 대응이었다.

그렇다면, 그들은 빈틈이 있을 때 그리 망설이지 않고 달려들 확률이 높았다. '점퍼'라는 존재가 저들에게 있다면 더욱 그러하다.

누군가를 기다리고 다음 일정이 있는 듯이, 하야시는 광장에서 약 삼십여 분의 시간을 보냈다.

그의 경호로 있는 점퍼들과 이야기를 나누고, 굳이 외무성 청사에 있는 부하 관료를 불러내어 광장에서 잠깐 담소를 나눈 뒤 퇴근길에 올라섰다.

동선을 짐작하지 못하도록, 짙게 선팅된 승용차 여러 대로 한꺼번에 지하 주차장에서 출발해서 중간에 점퍼를 이용해 안가로 귀환을 했다.

야가미가 끝까지 하야시와 함께 했다. 쉴더로서 임무에 참여하는 순간부터 그는 거의 요인과 떨어지지 않는 것이 수순이었다.

민서는, 카페에 남아있다. 조금 시간을 보낸 뒤 여유롭게 돌아가게 된다. '재머'로서 김민서는 적대적인 점퍼 세력에 노출되지 않을 의무가 있었다. 그런 존재가 있다는 걸 알아채지 못하는 것만으로 상당한 임무 상의 이득이 있었다.

약간은 피곤하고, 긴장감이 서려 있고, 지루하고 길었던 하루가 끝이 났다. 그가 한 것이라곤 사실 점심으로 메밀 소바를 먹고,

잘 타보지도 못할만한 고급 승용차를 타고 도심 이곳 저곳을 돌아다닌 뒤에, 마지막에는 카페에 앉아서 차를 마시며 창가를 바라본 것 뿐이었다.

멋들어진 외무성 청사의 전경을 바라보며 그 앞의 광장 경치를 구경한다. 양복을 입은 신사들이나 경호원들이 서서 멀뚱멀뚱 시간을 보내는 꼴을 구경하며 자신 역시 시간의 흐름을 느낀다.

사실 그런 적당한 탈력감의 유지야말로 그의 능력인 재밍을 발휘하기에 가장 적당한 상태이기는 했다. 눈으로 광장 중심에 있는 하야시 슌스케 부대신을 확인할 수 있는 거리였으니, 이 시기에 상

대가 도약을 해왔다면 아마 필연적으로 카페 근처에 나타났을 테였다.

수십 미터 정도의 오차가 일어났을 때 어떤 변고가 일어날런지 알 수 없었다.

그대로 화약 뭉치를 몸에 지고 자폭 테러라도 감행하는 이였다면 카페 채로 날아갈 지도 몰랐다. 그런 점을 고려해서, 청사가 정면으로 보이는 이 카페 내부에는 김민서와 메리를 제외하고는 손님이 아무도 없었다.

일본 정부와 관련된 임무였으므로, 자연스레 경시청 등의 협조를 받아 민간의 움직임을 통제하는 데도 어려움이 없었다.

카페의 주인인 30대의 젊은 여사장은 직접 민서와 메리의 커피를 타주고는, 가게를 잠시 비워둔 상태였다.

세련되고 깔끔한 현대식 인테리어에, 목재 가구들과 비슷한 톤의 조명을 사용해 따뜻한 느낌을 놓치지 않은 카페 내부였다. 민서는 그런 곳의 창가 바Bar자리에 앉아 밖을 바라보고 있었고, 옆에는 메리가 의자에 앉지도 않고, 등을 탁자에 기댄 채 멀뚱멀뚱 서서 다리를 휘젓고 있었다.

심심하다, 에 대한 멋들어진 표현 같은 자세였다. 조금이라도 낌새가 이상하면 곧바로 민서의 어깨에 손을 얹고 점프를 할 긴장감은 갖추고 있었다.

그녀는 실전에 강한 편이었다. 십년 차 이상의 베테랑이기도 했고, 수많은 전투 임무들을 수행한 전투 요원이었다. 여성이지만, 정면에서 싸운다면 민서가 셋 정도 있어도 아마 이길 테였다.

민서 역시 타고난 운동신경과 관계 없이 극한의 매질을 통해서, 억지로 격투기나 싸움에 대한 신경을 박아 넣어진 상태임에도 그렇다.

그다지 의욕이 없는 그라고 하더라도, 몸이 알아서 반응을 할 정도로 처맞고 굴려지다 보면 저절로 탈출을 위해 움직이게 마련이었다. 그렇게 하다보면, 열 번의 시도 중 아홉 번은 다시 들쳐져서 날아가는 꼴이 된다.

개중 한 번은 간신히 다음 공격으로 흐름이 이어지고 말이다. 홍인수나 김만철의 판단에서, 그래도 괜찮은 움직임이었던 선택들을 받아주며 그의 운동 신경을 개발해주는 것인지도 몰랐다.

"후릅."

커피는 나름대로 맛이 괜찮았다. 커피 맛을 그다지 따지지 않는 편이었지만, 그런 그의 입맛으로 느끼기에도 솜씨가 괜찮아 보이는 풍미였다. 장사가 잘 되는, 장인 정신의 바리스타가 운영하는 카페인지도 몰랐다. 스쳐 지나갔던 여주인이 실력자였는지도.

메리가 톡톡, 발끝으로 카페 바닥을 두드리다가 말했다.

"갈까? 오 분 지났다."

적당히 시간을 보내다 그들이 사라지기로 했다. 카페의 화장실은 문을 열고 들어가 세면대까지는 공용이었고, 한번 더 갈라져서 여성용과 남성용 화장실이 있었다.

그들은 세면대가 있는 자리에서 움직였다. 메리가 민서에게 손을 올렸고, 그대로 점프로 사라진다.

*

9월 3일.

토요일이었다.

하야시 슌스케라는 정치계의 정력가와 발걸음의 보조를 맞추는 일도 삼일 째였다. 그는 오전 시간에는 안가에서 사무 업무를 보았고, 여지없이 점심 즈음에는 밖으로 나서서 다양한 이들과 만났다.

일본의 외무 부대신을 만나러 오는 이들은 참 많았다. 하루에도 몇 명과 번갈아가면서 약속을 잡고 도쿄 이곳 저곳을 돌아다닌다. 교통이 나름대로 복잡한 자리도 잘도 우회해서 길을 트고 운전사들이 방향을 잡는다.

세계 100대 기업중 미국 쪽에 있는 회사의 실무자나, 혹은 일본 쪽 기업의 수뇌, 그리고 미일 양측의 정계의 인물들이나 고위 관료들과의 일정이었다.

거대한 프로젝트는 진행하는 것만으로 사전 작업이 방대했다. 심혈을 기울여 조율을 하고, 돌다리를 두드리고, 점검을 하고, 동의를 구하고, 마음이 바뀌지 않았는가 협상 대상의 안색을 살피고, 각국에 미칠 영향력을 계산하고, 하야시는 바쁘게 움직였다.

민서는 모습을 드러내지 않고 조금 떨어진 자리에서 늘 움직였다. 외무부대신이 타고 움직이는 승용차와는 완전히 모양도 다른 차에 운전사겸, 경호원인 일본인과 움직였다.

그리고 메리와 민서. 셋이 하얀색 승합차에 타서 뒤를 따른다. 눈가에 간신히 어른거리는 수준의 거리였다.

검은색, 썬팅된 고급 승용차에 타고 있는 하야시의 차에는 야가미 소우타가 옆자리에 같이하고 있었고, 경호원들이 그 근처를 빙 둘러싸듯 차량으로 같이 이동한다.

부담스러운 절차들이었다. 총리도 아니고, 외무부대신이었으나 모든 일정 중 여러 인력을 대동한 채 움직여야 한다니.

그러나 협박을 해오는 단체가 몇 번의 전과가 있고 실행력을 가진다고 보여지는, 범상찮은 미치광이들이었기에 어쩔 수 없는 처사다.

도쿄 도심의 시내 거리를 주행하며 민서는 하늘을 처다보았다. 구름이 하얗다. 하늘은 파랗고. 스위스의 하늘이나, 한국의 하늘이나 생긴 건 결국 마찬가지였다. 어떤 일을 하고 있더라도 하늘은 늘 그 모양 그대로이다.

심지어, 전쟁터에 있더라도 그럴 것이다.

민서는 마음의 안정을 찾으며 다시 시야에 앞서가는 차량을 담았다. 시종일관, 외부에 있을 때는 결국 습격이나 점프의 점퍼를 경계해야 했다. 그가 하는 일은 그저 재밍 능력을 가동시키는 것뿐이었으나, 최소한의 인지나 대비는 있어야지 않겠는가.

아마 움직이고 있을 때의 피습 확률은 다소 낮겠지만. 아주 고도로 단련되고 재능있는, 감각적인 점퍼가 아니라면 고속으로 움직이고 있는 작은 대상에게 정확히 이동을 하는 건 어려운 일이었다.

조직에서도 완벽하게 해내는 이들은 일부에 불과했다. 리시버나, 소드마스터는 그 일부에 당연히 포함된다.

메리의 경우에 급하다면, 충분히 실전에서 사용할만한 수준인 일이었다. 안정적으로 그런 현장에 계속 투입이 되기에는 좀 부담이 있었지만.

리시버나 소드마스터의 경우보다 도약에 조금 더 시간이 소모될 것이다. 도약 자체의 작동 시간은 모든 점퍼들이 똑같지만 그 전에, 위치 데이터를 정확하게 파악하는 데는 개인 역량에 따른 차이가 다소 있었다.

전투 요원으로서 뛰어난 역량을 발휘하는 자들은 결국 그런 점퍼의 메커니즘에서 우위를 차지하는 이들이었다. 묘사하듯, 가상의 컴퓨터나 CPU를 사용하는 게 점프의 작동이라면 그 가상 기계의 달인이 되어가는 과정이었다.

같은 성능의 기계를 다루더라도, 부품 하나, 매커니즘의 한 부분

부분을 분해해서 과정을 이해하고, 그 변용을 해낼 수 있다면 목적에 따라 다른 성능을 낼 수도 있는 일이었다. 사용자에 따라 말이다.

원래대로의 루틴이라면 주말은 점퍼의 본부 기지 훈련실에서, 홍인수를 상대로 죽었다고 복창한 뒤에 인간 샌드백이라는 실존하지 않는 사물의 기분을 체험해야 했겠지만, 오늘은 임무상의 문제로 일본에 있다.

민서로서는 차라리 훈련실에서 다치지 않는 보호 장구를 끼고 샌드백의 기분을 체험하는게 조금 더 나았다. 실전은 언제나 떨리고 두려운 일이다. 눈 앞에서 적의를 가진 테러리스트가 화약에 불을 붙인다면 찰나의 망설임으로 그대로, 인생의 마지막이 될 수도 있는 것이었다. 실전이란 그렇다.

3일 째, 그들은 비슷하게 움직였다. 저녁 무렵이 되면 하야시는 일정을 마치고 다시 외무성 청사로 돌아온다. 청사의 앞에 있는 공터에서 약 삼십 분을 조금 넘게 시간을 두고, 누군가와의 약속을 기다리듯 미끼를 던진다.

미리 약속된 부하 직원의 마중으로 짧은 담소를 마치고 퇴근길에 오른다. 그것을 세 번 째 반복할 때, 변화가 일어났다.

*

민서는 카페에 앉아 있었다. 삼일 째 같은 메뉴를 마시고 있었다. 아메리카노. 따뜻한.

메리는 옆에서 에스프레소 잔을 들고 홀짝이고 있다. 미국인이면서 아메리카노를 마시지 않다니. 민서가 한국말로 핀잔처럼 농담을 주었으나 메리는 씨익 웃으면서 그의 등을 두드렸다.

익숙한 손놀림이었다. 그녀는 김만철에게 사사받았다고 한다. 비단 점퍼의 모든 전투 요원들이 그렇긴 하지만, 특별한 애제자 중 한 명이었더너 모양이다.

그리고 김만철의 애제자라는 이야기는, 일반적인 선에서는 건드릴 방법이 없는 탁월한 무술가라는 말이기도 했다.

아마 민서가 세 명이 있어서 각기 다른 방향으로 달려 들어도 제압이 어려울 것이다. 맨손에, 점프 능력 없이 싸운다면 말이다.

결국 한 번에 상대를 실신시킬 수 있는 탁월한 스트라이커 striker라면, 수적 우위는 순식간에 별 게 아니게 될 수도 있었다. 민서는 그 정도의 감각이나 기술을 익히지는 못했다. 갖은 방향에서 처맞으면서 간신히 맷집은 길렀지만.

여전히 실전에서 홍인수나, 송일우같은 자를 만난다면 영 방법이 없다. 멀리서 물건이나 집어 던지고 다른 방향으로 도주를 해야지. 메리는 민서의 기준에서 분류를 나눈다면, 그런 류의 사람이었다. 점퍼 조직의 베테랑 전투 요원이라는 설명이란 그런 얘기였다.

여전한 인테리어에, 하늘은 일찌감치 어스름한 빛을 내보이며 저녁을 알린다. 풍치는 좋았다. 카페에서 바라보는 청사 건물의 외형이나 광장, 쓸쓸할 정도로 사람이 적고 고적한 분위기.

원래는 이보다는 조금 더 사람이 있을 테였다. 지금은 테러 대책의 일환이었으므로 카페 내부나, 근처 가게에도 손님이나 사람이 없었다. 광장에도 다른 시민이 없다. 청사 자체가 외부인을 받아들이지 않겠다는 공문을 알리고 대민 업무를 중지한 걸지도 모른다.

가을 바람이 나름대로 차가웠다. 민서는 얇은 코트를 입고 있었다. 바람막이나 다름 없는 비슷한 것이었다. 진한 녹색깔의 옷차림. 메리는 늘씬한 다리에 청바지를 입고 가죽 재킷으로 상체를 여민다. 늘 호쾌한 느낌이 드는 여인이었다. 자신감 넘치는 표정에 찰랑이는 적발이 인상적이다.

민서는 앉아 있었고, 메리는 한가하게 탁자에 몸을 기댄 채 이곳 저곳을 바라보고 있었다.

메리가 긴장감이 적거나 태만한 경계를 하는 건 아니었다. 아닌 척하면서, 다양한 방향을 바라보는 와중에도 경계를 게을리 하지 않는다. 무엇보다 앞을 바라보는 민서의 낌새가 조금이라도 달라진 다면 곧바로 움직일만한 주의를 놓치지 않고 기울이고 있었다.

그녀는 전시나, 실전에서 웃는 얼굴 속에 긴장감이나 주의력을 감추는 타입이었다. 베테랑이라는 모습을 상상한다면 그대로 그려 질 것 같은 형상이다.

카페의 바 테이블은 다른 가구들과 마찬가지로 목질의 느낌이 물씬 나는 외형이었다. 민서는 뜨거운 아메리카노를 잔으로 홀짝이 면서 하야시를 주시한다.

멀리서, 한 5, 60m는 떨어져 있는 거리였다. 그가 정확하게 무슨 표정을 하고 말을 하는지는 알 수 없었다. 대강의 제스쳐나 움직임, 위치만 확인하고 있었다.

그의 근처엔 쉴더Shielder인 야가미가 멀뚱히 서 있었다. 이번 임무의 요인인 그 장년인으로부터 몇 치도 떨어지지 않은 자리를 계속해서 고수한다.

그리고 그런 야가미와 하야시의 주위로 검은 정장을 입은 경호원들이 빙 둘러서, 있었고. 광장 주위로 또 몇 명인가가 분산되어서 주변을 살피고 무전으로 연락을 하고 있었다.

너무 지나치게 경계하는 느낌은 주지 않으면서, 하야시는 한가로운 척 혹은 여유롭고 방심하는 듯한 태세로 시간을 보낸다.

광장의 벤치에 잠깐 앉았다가, 일어났다를 반복하면서 있다. 얼핏 어색해보이기도 하고, 바쁜 일상 가운데 심신의 여유를 찾고 스트레칭을 하는 전형적인 관료처럼도 보였다.

감색의 양복 정장을 입고 정갈하게 넘긴 회색빛 헤어를 하고 있는 하야시의 근처에 이상한 기운이 느껴진 건 그 즈음이었다.

그가 벤치에서 일어나서 기지개를 펴듯 스트레칭을 하고 있었고, 민서는 그 모양을 멀리서 바라보는 즈음. 오후 6시에서 조금 지난 때였다. 해가 어둑어둑하고, 광장을 비추는 가로등이나 조명 따위가 켜지면서 그들의 모습이 간신히 비추어지는 와중.

불그스름한 하늘빛이 보랏빛으로 저물어갈 때 즈음 기이한 전조를 가장 빨리 깨달은 건 야가미 소우타였다. 쉴더로서 그의 감각은 다른 점퍼들과 비교해도 탁월한 면이 있었다.

옌이 레이더로서 광범위한 지경에 점프 에너지를 느낀다면, 그는 근처에 있는 범위에서 가장 빠르게 점퍼의 도약을 깨닫는다.

그리고 손이 닿는 곳이라면, 정확히 그 위치를 짚어서 사전에 점프를 취소시킬 수도 있었다. 도약 재밍의 응용에 가까운 기술이었고, 극히 드물게 이런 기예가 가능한 이는 조직에서 '쉴더'의 칭호를 받게 된다.

야가미는 순간적으로 점퍼의 이동을 감지했다. 하야시 슌스케에게서 고작 1m 떨어진 곳이었다. 그의 편이 아니라, 반대편. 곧 하야시의 뒤쪽이었고 민서가 이쪽을 바라보고 있는 편이었다.

그는 순간의 선택을 해야 했다. 이대로 취소시키는가? 혹은 이대로 미끼를 던져 끌어내어 불안 요소를 제거한다는 당초의 목적대로 점프를 내버려둔 뒤 제압하는가.

재머의 존재가 없었다면 선택의 여지 없이 취소를 시키고 쉴더로서의 의무를 다해야 했겠지만, 지금은 민서가 재밍을 발동중인 상태였다.

그는 순간 이쪽을 바라보고 있는 민서를 보았다. 그리고 반사적으로 손에 들고 있는 통신기의 버튼을 눌렀다. 메리가 쥐고 있는 통신기에 짝이 지어져 있는 상태였다.

메리는 경보음처럼 높은 소리를 내는 통신기를 카페 내부에서 확인하고, 민서의 상태를 확인했다. 민서 역시 소음을 들었다. 작전은 단순하다. 점퍼간의 협조.

민서가 손을 들어 어설프게 오케이 사인을 보내려고 했다. 오른손을 채 유리창 너머로 보이도록 크게 올리기 전에,

미상의 점퍼가 하야시의 근처로 점프를 해온다.

다만 그곳에 정확히 떨어지지는 못했다. 민서의 재밍 영역 내부였다. 그는 애초에 수십 미터의 범위를 가지지만, 집중 상태에 따라서 JE2가 누적되며 영향력을 발휘하는 범위가 막대하게 늘어나는 특성을 지닌다.

약 삼십여 분.

그가 잠깐의 집중을 잃는 틈을 빼고서, 계속해서 재밍을 시도하고 있는 시간이었다.

마지막으로 그가 기록한 시간은 13분 정도였다. 한 호흡의 틈을 제외하고는 민서는 계속해서 재밍을 하고 있다.

점퍼가 나타난 건 수 분이 지난 뒤였다. 그리고 하야시와 그의

거리 정도는, 그 정도의 시간이 누적된 뒤라면 재밍으로 상대의 도약이 완전히 일그러지기 충분한 위치이다.

도약의 전조는 하야시의 곁에서 그 마무리를 내지 못했다. 민서는 우웅, 하는 기묘한 진동과 같은 환청을 들었다. JE의 발현은 점퍼나 그 근처에 있던 이들이 익숙하게 느낄 수 있는 전조나 흔적을 남긴다.

위치는,

민서가 바라보고 있는 카페 창의 바로 앞이었다.

메리가 이미 점프를 발현하면서 민서의 어깨에 손을 올렸다. 민서가 들던 손이 무릎 위에서, 카페의 바 테이블을 넘어 어색하게 들어지던 즈음 한 청년의 형상이 유리창 앞에 나타났다.

희끗한 머리를 하고 있는 사내였다. 그는 민서의 쪽이 아니라 하야시 쪽을 바라보고 있었다. 위치는 바뀌었으나 점프 직전에 취했던 동작이나 계산한 방향은 그대로였다.

손에 이상한 걸 들고 있다, 고 민서가 생각했다. 묵직하게 생긴 가죽 주머니 같은 물건이다. 검은 천 위로 기계 부품처럼 보이는 회로가 올라가 있다. 회로에서 붉은 빛이 반짝인다, 라고 인지를

한 순간

메리가 발동했던 점프가 발현된다. 그녀가 민서의 어깨에 손을 얹었고 동시에 사라졌다.

카페 내부는 아무도 없다.

조용한 적막이 흐른다. 갑자기 나타난 미상의 인원에 하야시 쪽에서도 낌새를 감지한 듯 움직임이 있으려 했다.

야가미 소우타의 안색이 달라졌음을 경호원들이 느낀 것이다.

야가미가 일단 하야시에게 손을 가져다 대었다.

그리고 카페 쪽에서는 그대로, 폭발이 이어졌다.

쾅-!

거대한 폭음이었으나 기술할 마땅할 말이 없었다. 지독한 소리와 함께 화염과 폭풍이 일어났다. 카페의 유리창이 그대로 박살이 나면서 폭염이 안으로 들이닥쳤다. 아니, 그 전에 카페의 외벽이 날아가면서 건물에 구멍이 났다.

한 순간에 예쁘장하게 꾸며 두었던 현대식 인테리어가 초토화되었다. 콘크리트와 정갈한 보도 블럭으로 가꾸어진 도로에도 패인 자국이 났다. 화약의 위력이 강력했다. 카페 건물은 2층이었으나 그 위력이 2층에까지 닿았다.

한 순간에, 몇 개의 벼락이 꽂힌 자리처럼 변해버린 카페이다.

희끗한 머리에, 마른 체형을 가졌던 폭탄마는 폭발에 휩쓸리지 않았다.

그는 순식간에 폭발하는 시한 폭탄을 들고 이동을 해온 뒤, 곧바로 다음 점프를 발휘해서 자리를 피했다. 자신이 점프를 하는 몇 초의 시간을 완벽하게 계산해서 만들어낸 대담한 테러 행위였다.

적막했던 청사가 폭음으로 가득 메워졌다.

어두워가던 저녁 무렵의 광장이 치솟아오른 폭염에 순식간에 빛으로 채워진다.

긴 그림자를 남겼던 폭발에 아수라장으로 변했다.

먼 거리에서 시민들조차 느낀 이상이었다. 청사 내부 건물에서 폭발의 잔흔을 발견하는 이들이 있었다. 창가 자리에서 광장을 바

165

라보면 바로 발견할 수 있는 흔적이었다.

사람들이 분주하게 움직였고, 야가미 역시 일단 하야시와 자리를 옮겼다. 기왕 손이 두 개였으므로, 그가 부관처럼 대동하며 커뮤니케이션을 나누던 경호원조의 조장도 함께였다.

***

희끗한 머리를 한 점퍼.

민서의 머리에 남은 이미지는 그것이었다.

상황은, 예상하던 대로 갑작스럽게 일어났다. 갑작스럽게 일어날 것을 알고 있었지만 직접 겪는 것은 또 다른 일이었다.

눈 앞에서 대량의 화약에 스파크가 튀는 것을 바라보는 경험은 어지간해서는, 트라우마가 될 수도 있는 종류의 아찔한 서스펜스일 것이다.

약 일초 전후의 시간 차이로, 목숨이 그대로 날아갈 뻔한 경험이었다. 민서 스스로에게는 점프 능력이 없었으므로, 메리가 손이 느린 사람이었다면 그는 그 광경이 마지막 기억이 될 뻔 했었다.

점퍼 조직원들간의 연계는 일단은 실패였다. 상대의 피습은 목적을 달성했지 못했지만 불필요한 재해가 있었다.

또한 마지막까지 상대의 공격 도구를 예측하지 못한 것도 실책이었다. 맛이 가버린, 점퍼가 테러를 벌인다면 어디까지 일을 벌일 수 있는가에 대해 조금 더 예상을 했어야 했는데.

기껏해야 총기류 정도를 상정했건만 상대는 그대로 폭발물을 들고 와서 일대를 날려버렸다.

총기라면 상대가 당황한 틈을 타서 그가 하야시를 대피시키고 메리가 제압할 여지가 있었을 텐데, 폭발물의 경우에는 그들 역시 피하는 것 외에는 수가 없었다.

거기다가 생각보다 더 주도면밀한 자여서, 순식간에 폭발물을 던져놓고 자신 역시 그대로 사라졌다. 이 정도의 습격이라면 어지간한 교전 임무에 뒤지지 않는 극악한 성공 난이도의 임무였다.

제대로, 점프를 전투에 이용할 줄 아는 노련한 점퍼가 상대라는 말이었으니 말이다.

물론 상대의 근접전이나 총화기를 이용한 교전 능력이 어느 수준인지는 알지 못한다. 일단 점프 능력만을 체크해 보건데 그렇다는 이야기다.

어떻게 다가가서 제압을 해 볼 여지가 없었다. 만만치 않은 상대다. 그런 이가 정신이 나가버린 단체의 힘을 입고 움직인다면 조금 더 경계 수위를 높일 필요가 있었다.

당장 그들이 할 수 있는 전략적인 변화의 폭이 크지는 않았다. 다만, 임무에 임하는 쉴더나 브레이커Braker, 인 메리의 경계 수준이 올라갈 뿐이다.

쉴더와 브레이커. 둘은 연인이었는데, 공교롭게도 절묘한 코드네임이었다. 메리는 훤칠한 키에 각종 무술에 능숙한 요원이었다.

그리고 조직에는 다양한 보조 기구들이 존재한다. 현대의 기술 수준을 약간은 상회하는, 각종 선진국들의 기술적 협조에 의해서 사용 가능한 도구들이었다.

홍인수나 리시버는 곧잘 사용하지는 않지만, 메리는 즐겨 쓰는 종류도 있었다. 순간적으로 근력을 높여주는 보조 기구들이었다.

주로 가죽 자켓의 안에 착용하고, 상완이나 하박, 허벅 다리에 착용하는 팔찌 비스무레한 물건이었다.

순간적으로 전기 신호를 통해서 통상적으로 발휘 가능한 것 이상의 폭발적인 근력을 내게 해주는 물건이다. 지속적으로 사용하기에는 후유증이 좀 심했고, 요령 좋게 다루어야 하는 까다로운 물건이기도 했다.

반사적으로 움직이는 것에 가까운 동작 수행이라, 상황에 대처하는 즉각적인 유연함이 조금 떨어지기도 한다. 그러나 타고난 유연성과 절묘한 감각, 계산 등으로 사용한다면 그야말로 초인에 가까운 전투 퍼포먼스를 보일 수 있는 기계이다.

타격 부위가 되는 손, 발과 손목 발목까지를 고정하고 덮어 주는 강력한 보호장구가 필수적으로 필요한 물건들이다.

그런 기계를 사용하지 않더라도, 메리는 그 자체로 강인한 무술가이자 타격 계열 격투기의 천재였지만 조직에서 지원하는 기계를 사용한다면 그야말로 괴력을 발휘했다.

여성이나, 남성이나 하는 구분이 무의미해질 정도의 힘이었다. 어지간한 거한이라도 그녀의 맨손 격투에 몇 호흡을 버티기가 힘들 테였다.

강력한 힘을 다루는 데는 늘 섬세한 제어력이 필연적으로 요구

된다. 그녀는 반대로 누구보다도 정교한 작업에 능한 손재주있는,
사람이기도 했다.

"이런 미친."

민서는 자기도 모르게 험한 말을 내뱉었다. 정신이 어질거렸다.
총알이 빗발치는 장소에서도 있어 봤지만, 코앞까지 다가온 위험의
체감이 이렇게 선명했던 건 처음이었다.

보통은 머리를 처박고 교전 지역의 틈새에서 웅크리고 있을 뿐
이었다.

그들은 하야시 부대신이 기거하고 있는 비밀 안가safe house에
있었다. 메리와 민서가 이동을 한 뒤 거의 연이어서 하야시 슌스케
와 야가미 소우타가 도착을 했다.

도심에서 다소 떨어진 장소에 있는 곳이었다. 교외로 나서서 논
밭이나 산야를 지난 뒤 나온다.

숲 속에 있는 집이라고 해도 좋았다. 멀리에서 저격이 불가능한,
나무들로 둘러 쌓인 집이었고 내부에서 주변을 경계하기에 직접
다가오기도 난이도가 높았다.

얼핏 목재로 보이나 내장재와 외부의 통나무 사이에는 현대 건축물을 짓는데 사용되는 튼튼한 재료들이 들어가 있어서 폭발이나 재해 따위에도 어느정도 버틸 수 있었다.

거실에는 지하 벙커로 이어지는 통로가 있어서 유사시에도 꽤 오랜 시간을 지낼 수 있었고.

나 있는 창들 역시 모두 방탄 유리로 만들어진 것들이다. 일방적으로 저격하기 좋도록, 작은 구멍 따위가 나 있는 곳도 군데군데 있다.

2층 건물로 지어진 큼지막한 저택이었다.

한 밤의 저택이었다. 저녁 무렵이 지나고, 황혼도 지고 어느새 밤이 찾아온다.

점퍼들과 하야시를 비롯해 호위 인원들, 외무 부대신의 경호 프로젝트를 담당하는 많은 이들이 폭발처럼 일어난 감정의 동요를 추스르며 앞으로의 일을 의논하고 있었다.

"…아무래도, 상대를 전투에 능숙한 베테랑이라고 상정해야 할 것 같습니다. 이번 같은 일이 다시 벌어진다면, 결국 저격수의 역량이 중요해집니다. 재머Jammer의 바로 근처, 곧 외무부대신님이 있는 위치에서 시작해 선을 죽 그으면 나타나는 자리에 적이 있다고 생각하시면 됩니다.

재머와 경호대상의 거리가 100m이내일 때는 반드시 그렇습니다. 그리고 그 이상을 넘어간다면, 외무부대신이 있는 위치에서 재머 쪽으로 이동을 하되 그 중간 지점에 나타날 확률이 높습니다."

야가미의 말에 경호조장이 고개를 끄덕였다. "저격수를 더 배치하도록 하지. 직전 사태 때는 대응을 하지 못했지만 점퍼에 대해 익숙하지 못한 요원들이 대부분이라 그랬을 거야."

사전에 언질을 어느 정도 주었더래도, 눈으로 보는 것과 생각하는 것에는 차이가 있는 법이었다. 점퍼의 능력이나 움직임은 상리를 초월한 것이다. 저격수들은 일반적인 궤적이나 인간을 상정하고 조준을 해서는 안되었다.

차라리 기계적으로 정보를 입력하고 움직이는 것이 나았지. 여태까지의 상식과는 분명히 어긋나는 임무 상황이었다.

경호원들은 전 자위대의 특수부대원들로 이루어져 있었다. 각자의 사정으로 퇴역을 하거나, 혹은 퇴역 전에 일찍감치 경로를 바꾸어 고위 관료 들의 요인 경호로 방향을 튼 인물들이다.

각자의 경험치가 부족한 상황은 아니었다. '점퍼'라는 변수에 대한 조정이 필요한 것이다.

"저격수의 순간 반응을 제외하면, 결국 재머 쪽에서 총을 겨누는게 가장 간단할 겁니다. 이번에는 저희도 다소 당황한 구석이 있었습니다. 다음 번에는 나타나는 순간, 즉시 신호를 통해 격발하도록 하겠습니다."

야가미가 그렇게 말은 했지만, 어려운 일이었다. 민서로서는 말이다. 한 순간에 미상의 점퍼가 도약을 해오고, 그것에 반응한 야가미가 재머 쪽의 통신기에 신호를 준다. 그 신호에 반응해서 1초이내에 총을 겨누고 쏜다, 는 게 말처럼 그렇게 쉬운 일은 아니었다.

메리라면 가능할 지도 모른다. 그렇게 총을 쏘는 일과, 이번처럼 폭발물을 가져올 가능성에 대비해 순식간에 점프를 할 준비또한 동시에 해야 했다.

임무에 나설 때 점퍼들은 늘 방탄 피복을 착용한다. 이번에는 요인에게도 역시 입혀둔 상태였다. 내복같은 느낌으로, 옷의 안에 받쳐입는 것이었다. 질기고 정교한 합성 섬유는 총탄의 관통을 피한다. 조금 더 두꺼운 재질로 만들어낸 재킷 따위는 더 수월하게 막아내지만, 약간 더 불편하고 정해진 수량이 있었다.

개인별로 디자인이 있었기에 그런 물건을 하야시에게 입혀 둔다면 지나치게 부자연스러울 것이다.

상대방 쪽에서 저격을 통해 두부를 노리는 것은 경호조의 역량을 신뢰해야 했다. 모든 일정 중에 헬멧을 쓰고 움직일 수도 없었다. 각 위치마다 포인트를 조사하고 저격수들이 배치되며, 불온한 단체의 움직임을 막는 특전사들이 알아서 해줄 테다.

야가미 역시 적잖은 훈련을 받은 전투 요원이었지만 그가 모든 상황을 통제할 수는 없었다.

"어쨌든… 슌스케 씨의 목숨은 저희가 지키겠습니다. 관건은 적의 제압과 확보인데… 이 부분에 있어서는 여러분의 협력과 또 재머, 브레이커의 역량에 달려 있겠군요."

쉴더의 마지막 목표는 결국 지키고자 하는 대상의 생존이다. 최악의 경우라면, 자신의 목숨을 잃는 한이 있더라도 요인의 경호를 우선시하게 된다. 그런 사명감을 갖고 있었고, 그것을 위해 점퍼 조직에 헌신하고 있는 자였다. 야가미는.

그가 말한 '저희가 지키겠습니다'의 '저희'란 곧 야가미 스스로를 말하는 것이기도 했다. 최후의 상황에서 팀원들의 희생을 계산에 넣을 수는 없으니 말이다.

그들은 안가의 거실에 앉아서 대담을 나누고 있었다. 주위로 경호인력들이 경계를 서고 있었고, 가끔 무전기로 이야기를 나눈다.

전체적으로 산장같은 분위기의 인테리어로 꾸며진 깔끔한 저택이었다. 벽난로 따위의 분위기를 낼 수 있는 디지털 화면이 있었고, 한국에서 온 현대식 보일러 기능이 있어서 쌀쌀한 날씨에도 내부는 추위가 가신지 오래였다.

조명 역시 산장에서 흔히 볼법한, 벽난로의 불빛같은 주황색이 섞여든 색이라 따뜻한 분위기를 연출했다. 정사각형 모양의 테이블이 가운데 있었고, 그 주위로 카펫이나 러그가 이리저리 깔려 있고 누워서 쉴 수도 있을만한 소파가 테이블을 둘러 싸고 있었다.

위층으로 올라가는 계단이 집의 가장자리에 있었고, 2층은 전체를 사용하지 않아서 1층에서 넓게 탁 트인 실내를 바라볼 수 있고 높은 지붕을 구경할 수 있다. 위에는 뜬금없는 샹들리에가 하나 달려 있어서 빛을 내고 있다.

하야시는 테이블의 소파 한 자리에 앉아 폭발 테러의 여운으로 몸을 추스르는 듯, 약간은 웅크린 자세로 이야기를 듣고 있었다.

건장한 장년이지만 목숨의 위협 앞에서는 다소 기운이 사라지는 것도 자연스런 일이었다.

그런 부대신이 야가미를 쳐다보며 눈빛을 밝혔다. 씨익 웃는 멋진 미소가 사내답다. 영화나 그림으로 젠틀한 중년 사내의 중후함을 표현한다면 그렇게 그려질만큼, 훤칠한 얼굴이었다.

결국 신뢰감만이 위기의 순간에서 서로를 구한다. 하야시는 야가미의 말에서 그런 희생 정신이나, 결의의 다짐을 느꼈다.

마침 다행으로서도, 야가미의 입장에서 피경호자가 경호인과 깊은 신뢰감을 가진다면 의뢰는 더욱 수월해지고 안전도도 올라가게 마련이었다.

타닥타닥, 하고 난로에서 불이 타오르는 영상과 함께 효과음이 들렸다. 괴짜 부자들의 취미처럼 쓰이곤 하는, 벽난로 영상을 보여주는 LED패널이었다.

그저 옛날의 추억을 조금 상기시켜준다는 것 외에는 아무 쓸모도 없는 장식품이었고, 전기를 잡아먹을 뿐인 물건인데 이곳에 있었다.

그야말로 사족처럼 모닥불이 타오르는 효과음까지 내는 물건이라, 산장같은 세이프 하우스 내부를 적막하지 않게 채운다.

메리가 그들의 연대를 흘긋 보더니 입을 열었다.

"뭐 이쪽도 할만큼은 해야겠지. 상대가 어느 정도일 지는 모르 겠지만, 아마 한번 더 나타난다면 잡힐 거야. 그러고도 안 잡힌다 면 수가 없는데… 인-수나 길-우가 와야 할 것 같고."

메리는 일본어도 능숙했으나, 영어투가 남아있는 말투였다. 한국 어 점퍼들이 많으므로, 약간의 한국어도 가능했다. 하지만 한국식 억양이 진하게 필요한 이름들의 경우엔, 여전히 어색함이 남아있는 편이다.

어쨌든 그녀의 자신감은 하야시로서 기꺼운 반응이었다. 민서는 어딘가 아득해지는 눈길로 먼 곳을 바라보았다. 천장 위에 걸려 있 는 샹들리에, 혹은 방의 한 구석에 있는 모닥불 LED.

총알까지는, 완전 무장을 한다면 의외로 살 확률이 높은 경우였 다. 점퍼 조직에서 제공하는 장비들에 섞인 기술력은 최첨단 이상 의 것이었으니.

그러나 대놓고 폭탄류를 집어 던지는 점퍼라면, 장비와 상관 없 이 한 끗 차이로 죽게 마련이었다. 민서는 마음을 굳혔다. 죽던 살

177

던, 할 일은 해야 한다. 애초에 그러기 위해 이 조직에 들어와 있는 것이기도 하다.

그런 위험들을 감수하기에, 조직에서 점퍼들에게 상당량의 돈을 쥐어주는 것이기도 하고 말이다.

단지 그만이 겪는 일도 아니었다. 그의 눈에서 초인처럼 보이지만 홍인수나 송일우, 최길우나 여타 사람들도 그와 똑같은 조건이었고, 만화 속에 나오는 히어로들도 아니었다. 조금 더 훈련되었고, 조금 더 베테랑일 뿐이다.

맞으면, 상하고 총알이 파고들면, 부서져 다치고 죽는다. 많은 사람들이 여전하게 감당하고 있는 위험들이었다. 그 역시 다른 이들과 같은 자리에 서게 된 것뿐이었다.

모든 이들이 마음을 다잡으며 다시 계획을 세웠다. 상대는 결국 또 한 번 나타날 테였다. 그들의 신념에 따라. 그도 아니라면 결국 하야시라는 인물의 행로를 막을 수 없고, 각국의 긴밀한 협조와 시스템 역시 공고해져 갈 것이었다.

그들은 하루의 실패를 밑거름삼아 다시 움직였다.

*

9월 안으로 하야시의 업무는 끝을 내야 했다. 그는 부지런히 움직인다.

"결국 저희 쪽에서 관세 혜택을 내어주어야 한다는 말 아닙니까?"

어느 고급 호텔의 스위트 룸suite room에서 그는 일본 기업의 대표주자라 할만한 이를 만나고 있었다. 경제 협약은 결국 양측의 이익을 도모하면서 시너지를 만들어내야 하는 작업이었다. 한 쪽의 일방적인 희생이나, 불만이 포함된 것은 제대로 된 협력이라 할 수 없었다.

그는 협약의 주요 실체가 될 각국의 경제계 인물들의 비위를 맞추느라 고생을 하고 있었다. 일본 쪽 인물의 요지는 이렇다. 자국에서 지나치게 편의를 봐주어야 하는 것 아니냐, 그만한 가치가 있는가. 결국 미국이라는 강대국에게 일방적인 혜택을 제공하며 지고 들어가는 거래가 아닌가.

"그건 당연히 그렇지. 하지만 결국 저쪽에서 우리에게 주는 것들이 더 많게 되어있네. 당장 포함되는 기업들의 수나, 규모만 살펴도 말이야. 보다 직접적인 거래가 이어지다 보면 일본 쪽 시장에 순기능이 더 커질 걸세. 그런 많은 양의 자본을 이쪽으로 돌리려면, 우리가 먼저 나서서 혜택을 주는 수밖에 없어. 말했듯 공평해야 하지 않겠나."

"내 참. 정말로 그렇게 말대로만 잘 되리라고 보십니까? 저쪽에서 오는 물건들의 질이 좋아도, 결국 저희 쪽에서 소화를 못 해내면 헛수고일텐데."

"시장이야 널렸지 않은가. 보다 많은 양을 만들어내면, 결국 수출량을 늘이면 될 일이야. 세계 시장에서 아직 두드릴 곳들이 많이 있다고 나는 보네."

결국 공정이 많은 정교한 공산품들 중에서 각 기업들이 중간 자재나 원자재에 관련해 보다 싼 가격에 서로가 나누고 지원을 해주어서 전체적인 생산물량을 늘이거나, 원가를 줄이고자 하는 이야기였다. 이를 위해서 하야시는 각 부처의 관료들을 쥐어짜듯이 닦달해서 경제적 시너지가 날 만한 기업과 상품들을 조사하고 실행 가능성이 있는지 끊임없이 시뮬레이션을 해 보아야 했다.

"아마 내 관료 인생의 방점이 될 만한 일이니 잘 부탁하네. 결국 목적이 같은 곳끼리 절차 없이 협업을 할 수 있다면 종래보다는 나은 결과가 나올 거야. 작게는 일본 국내 시장에 이익이 되는 거고, 크게는 세계 시장 전체에 양질의 상품을 공급하고 삶의 질이 올라가는데 도움이 될 거라네."

"공公의 계획이 참으로 거창하시군요."

상대 역시, 비슷한 나이대의 남성이었다. 하야시와 개인적으로는 아니었지만, 업무상 수 많은 일들을 하면서 오히려 친구보다 더한 마음을 나누게 된 사이였다. 유대나 팀워크는, 모든 종류의 일에 성공의 비결이 되고는 하는 요소들이다.

희끗한 머리를 한 두 관료와 사업가는 짧게 악수를 하고 이야기를 마쳤다. 그들이 있는 스위트 룸의 방 너머에는, 경호 인력들이 늘 그렇듯 따라다니고 있었다.

두 사내가 거실과 같은 공간에서 소파에 앉아 이야기를 나누었고, 안쪽 방에서 경호조의 인원들과 점퍼, 즉 셋이 대기하고 있었다.

"먼저 일어나 보겠습니다만, 실례가 되지는 않겠지요. 다음 일정이 곧장이라."

그룹 계열 기업의 회장, 은 아니었고 사장 즈음 되는 인물이 그렇게 말하며 소파에서 일어섰다. 협의에 대한 의견 조율이나, 의사를 묻는 일은 원만하게 끝이 났다. 에둘러서 거절을 뜻하는 말은 아니었고 실제로 일정이 있는 모양이었다.

"알았네. 아마 곧 한번 더 다같이 볼 일이 있을 거야."
"그렇습니까. 기다리고 있겠습니다."

검은 정장을 입은 장년인이 방을 나섰다. 그에게도 경호인인지, 비서인지 한 명인가가 붙어서 따라 다닌다. 객실을 나서는 그에게 앞장 서 문을 열어주고 기업인이 사라졌다.

하야시는 손목 시계를 톡톡 두드리면서 이야기했다. 옷핀처럼 만들어져 재킷의 목깃 즈음에 몰래 붙어 있는 마이크에 연결되어 있는 물건이었다. 경호조의 인원이나 하야시와 곧바로 이야기를 나눌 수 있었다.

"조금만 쉬다 가겠네. 근래 들어 일정이 빡빡하니 체력적으로 무리가 되는군."

톡톡, 하면서 통신기 너머에서 손가락을 두드리는 소리가 작게 났다. 지향형 스피커로, 하야시가 입은 정장 셔츠의 카라 부분에 붙어 있어 그에게만 상대방의 소리를 듣게 해주었다. 투명한 재질이고 작으며, 목깃의 안쪽에 부착되어 잘 보이지 않았다.

점퍼 조직에서 만들어낸 물건이었다. 정말 다양한 종류로, 모아서 쓴다면 충분히 탐정 놀이라도 할 수 있을법한 퀄리티였다. 어설픈 현실의 사설 탐정이 아니라, 영화나 만화에 나오는 셜록 홈즈같은 활약이라도 할 수 있을 법한 물건들이었다.

다음 일정까지는 시간이 조금 남았다. 보통의 그라면 곧바로 움직이고 그 사이에 여타 업무를 구술로 처리하다가, 약속 시간에 일찍 도착하는 게 평소의 루틴이었다. 외무 부대신이 시간보다 늘 일찍 나오는 건 관계자들 사이에서 유명한 이야기였다.

보통 사회 관계에서 약속은 조금 일찍 만나는 게 올바른 것이었지만, 그 정도 위치에 있는 사람이나 만나는 이들의 경우에는 너무 빠르게 가는 것도 상대에게 괜한 부담감을 줄 수 있는 일이었다.

부대신의 쉼에 따라 호위 인력들도 스위트 룸의 방 안에서 대기했다. 요인이 쉰다고 그들까지 완전하게 쉬는 것은 아니었지만, 한 장소에서 멈춘 대상을 자리 잡고 경호하는 게 역할에 따라 몇 명은 더 편하긴 했다.

일단 민서는, 다소 긴장을 풀고 방 내부의 벽면에 등을 기대며 바닥에 앉아 있었다.

보통 요인의 움직임은 대외비로 이루어지기에, 내부에 조력자가 없는 이상 테러를 벌이려는 쪽에서도 위치나 좌표를 확정하기에 어려움이 있을 테였다. 모습이 외부에 드러나는 일정을 할 때에는 그들도 주의나 경계 태세에 각별함을 기울인다.

야가미는 스위트 룸 내부에 요인과 그들 관계자만 있자 편하게 방을 나섰다. 외무성 부대신이 쉬고 싶다고 말했지만, 어지간하면 요인의 곁에 바로 있는 것이 경호에 도움이 되었다. 겸사겸사, 물이라도 좀 마실 겸 방 안에서 그가 걸어나섰다.

몇 걸음을 걸어 커다란 내부에서 거실을 옆에 두고 부엌으로 걸어간다.

그럴 때 야가미의 감각에 기이한 소음같은 것이 들려왔다.

후욱, 하는 점퍼 특유의 전조 증상이었다.

야가미는 편하게 걸음을 옮기다가, 소름이라도 돋은 사람처럼 표정을 굳히더니 늘 왼쪽 손에 감아쥐고 있는 통신기의 버튼을 눌렀다.

꾸-욱 하고 누르자 곧바로 방 내부에서 메리의 통신기가 시끄러운 소음을 냈다. 민서나, 메리, 그리고 호위조 인원들이 정신을 차렸다. 예상치 못하는 순간이었지만 어차피 점퍼는 그런 순간에 나타나게 마련이었다.

경호 대상으로부터, 민서의 방향으로 선을 그어서 그 바로 앞. 근처 객실이나 호텔 건물 내부를 바라보는 외부 옥상에서의 저격수들이 신호를 받고 움직였다.

통신기의 신호는 저격조 인원들에게도 바로 가게 만들어두었다. 그들이 들고 있는 것 역시 조직에서 요원들에게 지급하는 보급용 통신기였다.

민서는 표정과 함께 마음을 굳게 다짐했다. 별다른 행동을 할 틈까지는 없었다. 재밍 영역은 이미 발동되고 있는 상태였다. 스위트 룸, 안쪽 방의 벽면을 둔 바로 앞이 점퍼가 나타날 자리일 테다. 그들은 부대신과는 사선 방향의 객실에 있었다. 그 말은, 정면으로 쏜 총알에 부대신이 맞지는 않는다는 이야기다.

메리는 곧바로 자동 권총을 꺼내들어 벽면에 바싹 붙였다. 호텔 벽실의 내장재로 무엇이 쓰였는 지는 모르겠지만, 뚫릴 때까지 쏠 생각이다.

탕! 그녀는 오래 기다리지 않고 방아쇠를 당겼다. 총탄은 벽면을 한 번에 뚫었다. 목재를 원료로 한 가공재가 들어 있는 룸의 벽은 충격에는 약한 편이었다. 대부분의 사물들은 권총탄 앞에서도 형체를 유지하기 어렵긴 하지만.

총탄이 벽면을 뚫고 날아간다. 그대로 관통해서 바람을 가른 납덩이는 무언가를 더 맞추지는 못했다. 반대편 벽에 바람 구멍같은 흔적을 더 남겼을 뿐이었다.

다만 메리가 한 발로 사격을 멈추지 않았다. 연이어서 자동 권총이 격발되었다. 타, 타탕! 그녀가 노리는 곳은 대강 사람의 어깨선이 있는 부근이었다. 제법 높게 권총을 치켜 들고 어려운 자세로 쏘아댄다.

야가미의 감각이 틀릴 리는 없었다. 일반적인 점퍼들도 그러하거니와, 쉴더의 경우는 상대의 도약에 보다 민감한 존재였으니.

역시 두 발째의 총알이 벽면을 뚫고 나서, 상대가 모습을 드러냈다.

점퍼의 점프는 설명하자면 순식간에 벌어지는 일이었다. 그러니까, 슬로우 모션으로 촬영을 하며 점퍼의 몸이 나타나는 순간을 찍는다면 그것은 데이터가 로딩되듯 일부가 먼저 나타나고, 최후에 완료되는 것이 아니라

순간 그 자리에 모습을 드러내는 것이다. 이전까지 없던 사람의 형상이, 조금의 손실과 누락 없는 뚜렷한 모습으로. 초고속 너머의 일이었다. 마치 이미 그 자리에 있었던 것과 같은 존재감은 인지적 부조화를 일으키기에 충분하다.

다만 익숙한 이들이 느낀다면, 기묘한 감각이나 미약한 떨림, 거

리가 떨어진 곳에서도 왜인지 들리는 것 같은 비현실적인 전조음만이 그 출현을 예고하기에 순차적으로 예감할 뿐이었다.

총알이 허공을 지나 어깨의 앞에 다가올 때에,

희끗한 머리를 한 청년이 원래 있었다는 듯 출몰했다. 두 번째 탄환은 어딘가 피로해보이고, 볼이 패여 인간미가 없어 보이는 사내의 어깨선을 스치듯 지나갔다. 그가 조금 대각선으로 서 있었기에 그렇다.

그는 민서나, 메리가 있는 쪽의 벽을 바라본 채였다. 하야시를 향해서 점프를 하다가 오류가 생겼던 이전의 경험에서 배운 것인지, 애초에 뒤를 돌아보고 몸을 비틀어 불시의 일격에 최소한의 대비를 했다.

총알이 지나가며 어깨에서 피가 튀었다. 완전한 관통은 아니었고 겉면의 살을 훑으며 지나간다. 세, 네 번째의 총알 역시 비슷했다. 세 번째의 총알은 더욱 옅은 흔적을 남기며 날아갔고 네 번째는 허공을 지났다.

타-타타탕! 하는 귀 따가운 총성이 하야시와 야가미, 방 벽 너머의 경호조 등에게 울리고 그들이 이상 사태에 몸을 움직였다.

청년은, 양 손에 기관단총을 들고 있었다. 그리고 메리가 노린 어깨가 적절하게도, 몸통의 양면은 방탄 조끼로 가려져 있었다.

희끗한 머리. 마른 체형. 핏기가 적고 무미건조한 표정을 짓고 있는 동양인 청년이 한 손엔 날아가버린 총과 어깨에도 개의치 않고, 나머지 손을 앞으로 겨누며 방아쇠를 당긴다.

"막–!"

야가미의 고함이 채 끝나기 전에 그가 방아쇠를 당겼다. 총격에 완벽하게 실신이 되기엔 어깨를 지난 사격의 상처가 얕았고, 일반적인 이의 표정이 아닌 다소 몽롱한 상태의 얼굴이 의심스러운 꼴이었다.

청년의 자세가 약간 무너졌다.

청년이라 함은, 볼이 움푹 패였고 소름 돋는 무표정을 지닌, 범죄 단체의 점퍼였다. 그는 애초에 외무성 부대신, 하야시 슌스케를 노리고 온 것이 아니었다. 그 스스로도 영문 모를 오류를 일으킨 의문스런 적을 겨누고 총을 든 것이다.

그야말로 명민한 움직임이라고 볼 수 있었다. 미상의 적에 대한 추리나 예상을 뛰어넘어 실제로 그에게 총구를 겨누었으니 말이다.

다만 그의 표정이나 행색은, 명민과는 거리가 멀어 보이는 꼴이었다. 마약성 약물에 취한 중독자의 것이나 비슷해 보였다.

그런 약물의 힘을 빌어 총에 맞았음에도 의연하게 움직이는 지도 몰랐다. 미상의 점퍼의 운동 능력은 알 수 없었다.

경호조의 인원들과, 점퍼 역시 방탄 피복을 입은 상태였다. 경호조는 그들이 사용하고는 하는 방탄 재킷을 받쳐 입은 상태이다. 지나치게 외부에 위화감을 조성하는 상황이 아니라면 전투를 상정한 차림으로 있는 것이 그들의 작전 상세였다.

두두두두, 하고 불꽃을 뿜은 기관단총의 총구는 살짝 흔들렸다. 자세가 무너지기도 했고. 벽 너머에 보이지도 않는 대상에게 대응 사격을 한 것조차 일반적인 의지나 판단력 이상의 반응이기는 했다.

보이지 않는 적에게 날아간 납탄들이 벽을 뚫는다. 자동권총과 같은 구경의 납탄이지만, 조금 더 빠른 연발을 보여준다. 고작 1초에 십 수 발이 나가는 것이 기관단총이었다.

그가 방아쇠를 눌러 긁은 시간이 그보다는 못되었다. 날아간 납탄들은, 벽을 뚫고 허공을 가로질렀다. 그 너머의 스위트 룸의 창문에 박힌 것이 있었고, 벽에 상흔을 남긴 것들이 있었다. 몇 발인가는 민서의 몸통에 맞았다. 경호조의 인원들도 몇 발인가 맞았고, 한 명은 재킷을 입지 않은 허벅지를 관통해 쓰러졌다.

메리는 전투 태세에 임해 있었다. 손목부터 손을 완전하게 감싸는 장갑은, 내부에 금속 재질의 판이나, 손의 뼈를 잡아주는 완충 구조가 있는 물건이었다. 얼핏 두꺼운 가죽장갑처럼 보이지만 제대로 사용한다면 콘크리트도 깨부수는 위력을 보여주었다. 그녀에게 온 총알은 없었다.

그녀는 날아온 총알로부터 상대의 위치를 역산했다. 보이지 않는 위치였고, 점프의 취소를 이용해 정확한 좌표를 잡지도 않고 곧바로 이동했다.

이번에 상대는 아마, 폭탄을 들고 오지 않은 듯했다. 곧바로 폭발이 일어나지는 않았다. 그렇다면, 결국 이곳에 있는 조직의 점퍼들이 상대를 잡을 수 있을 테였다. 추적전은 점퍼 전투 요원이 필수적으로 얻어야 하는 능력이었고, 브레이커와 쉴더 또한 능숙한 종류였다.

메리가 한 호흡 뒤에 방에서 사라졌고, 그가 벽 너머에 나타났다.

약간은 어두운 스위트 룸의 조명 아래 사람들이 비산하고, 움직인다.

총알에 피격 당한 경호조나 민서는 잠시 움직임이 멈추고 몸을 웅크렸다. 야가미는 하야시를 데리고 자리에서 물러났다. 한 호흡의 점프를 잘못 사용하면 상대를 놓칠 수도 있었다. 점퍼간의 싸움은 결국 움직임을 뛰어넘는 수싸움에 가까웠다.

쉴더로서 상대의 근접 점프를 경계하며 하야시를 자신의 등 뒤, 실내의 구석으로 몰고 가며 눈으로 청년을 노려보았다.

청년은 여전히 벽을 노려본 채로 자세가 조금 무너져 있었다. 마약류의 복용이 있는 듯했지만 고통을 아예 느끼지 못하는 건 아닌 모양이었다. 혹은 고통 이전에 몸의 물리적인 반응일지도 모른다.

청년이 움직이기 전에 메리가 바깥에 모습을 드러내며 주먹을 휘두르고 있었다. 바깥은 다소 해가 저물어가는 늦은 오후였고, 커튼이 쳐져 있어서 실내의 조명이 부족했다. 은은한 불꽃처럼 실내를 밝히는 조명 안에서 사람들의 움직임이 얽힌다.

메리는 순간이동의 직후에 걸리는 시야의 암전에도 아랑곳않고 크게 팔을 휘두른다. 상대의 위치는 대강 짐작을 했다. 민서의 재밍은 효율 좋은 도구였다. 어차피 벽에 바싹 붙은 위치라고 생각해

보면, 총알이 날아온 방향을 보건데 대강 때려 맞출 수 있었다.

거의 정확한 위치에, 그녀의 주먹이 휘둘러졌다. 굳게 쥐어진 가죽 장갑 내의 주먹은 파괴적인 위력을 가지고 청년의 얼굴을 노렸다. 놀라운 정확도였다.

다만 청년의 자세가 무너지고 있었다. 우연인지 의도인지, 굽어진 몸에 이마가 먼저 그 주먹에 닿았다. 피할 수 없는 상황이라면, 가장 단단한 뼈 중 하나인 이마 뼈를 들이대며 주먹을 빗겨낸다면 타격의 위력을 최소화 할 가능성이 있었다.

그러나 그것도 주먹 나름이었다. 메리의 코드 네임은 브레이커였고, 지금 역시 그 코드 네임을 달게 된 기구를 상완과 양 허벅다리에 차고 있는 상태였다. 검고 두꺼운 띠같은 것들이 움직임에 맞추어 전기신호를 냈다. 일정한 운동 상태를 만들면, 그 타이밍에 맞추어 저절로 메리의 몸을 이끄는 기계였다.

사람이 무의식중에 거는 신경적인 락Lock을 푸는 듯한 기계의 작용으로 메리의 힘은 초인적인 힘을 냈다. 퍼-억. 하고 끔찍한 소리가 났다. 머리뼈가 아작이라도 나는 것 같은 효과음과 함께, 사람 몸에서 나면 안될 듯한 소리가 연이어 들리며 그의 몸이 정반대로 날아갔다.

들이댄 이마가 그대로 뒤로 젖혀지며 몸이 걸레짝처럼 나부꼈다. 쿠당탕, 하며 스위트 룸의 갖은 가구들과 박으며 청년의 몸이 던져진다. 주먹을 얼굴부에 맞았다고는 믿기 힘든 결과였다. 그가 쥔 기관단총이 그 소란 속에서 격발되는 일은 없었다. 다만 끝까지 놓치지는 않은 것이, 청년의 초인적인 의지력을 반증하는 듯하다.

청년이 1, 2m 정도 뒤로 날아가 작은 화병용 테이블을 박고 구석에 찌그러졌다. 일순간 회복하기 힘들어 보이는 상태였다. 이마에서는 피가 줄줄 흘렀다. 메리는 연이어 움직였다. 곧바로 타격에서 오는 경직과 관성을 이겨내고 발을 앞으로 내딛었다. 그녀는 다시 점프를 했다. 한 호흡 뒤에 그녀가 나타날 곳은 청년의 바로 앞이었다.

그대로, 다리 힘으로 찍어서 특수 제작된 장화로 상대의 뼈를 부러뜨릴 생각이었다. 그녀의 브레이커란 별명에 어울리는 이력은, 여태껏 부러뜨린 상대방의 뼈의 숫자였다.

청년의 왼편에 나타나 왼 손의 훅으로 상대를 날려버린 메리는 그 관성 그대로 자세를 잡고 오른 발을 들었다. 직전에 시행한 점프가 발현되며 그녀가 다시 사라졌다. 그녀는 순간적인 파괴력이나 전시적 효과에 대해서는, 홍인수보다 때로 나을 지도 몰랐다. 총이나 격투기를 통한 제압은 어쩌면 인간적일지 모른다. 브레이커의 압도적인 파괴는 적들의 전의를 상실시키기에 좋았다.

청년은 아직 정신을 차리지 못하는 듯했다. 점퍼에게 있어 가장 중요한 건, 전투에 사용되는 피지컬이기도 했지만 뇌와 관련한 터 프함이기도 했다. 결국 정신으로 인해 작용하는 능력이었으므로, 이성을 잃고 또 혼절한 상태에서는 점프가 불가능하다. 무력하게 제압되고 마는 것이다.

어두운 실내의 방구석에 청년이 널브러져 있다. 메리가 그 앞에 나타났다. 방 내부에서 총을 맞은 인원들은 아직 회복을 하지 못했 다. 상대의 습격으로부터 겨우 수 초, 혹은 십 초 정도가 지났을 뿐이었다. 메리의 반응이 기이하게 빠른 것이다.

그녀는 적발을 휘날리며 청년의 앞에서 높이 든 발을 내려 찍는 다. 청년은 눈을 뜨고 있었다. 완전한 의식 상실은 아니었다. 몽롱 한 눈빛이 어딘가 모를 곳을 쳐다 본다.

후욱, 하고 바람이 부는 듯했다. 널브러져 있던 청년의 신형이 사라졌다. 그리고 메리의 발이 빈 바닥을 강하게 찍었다. 쾅! 하고 찍어내는 신발은 호텔 바닥에 깊은 상흔을 남겼다. 마감재가 벗겨 지고 내부의 콘크리트가 갈라지며 드러날 정도였다. 사람이 맞는다 면 확실하게, 어디 한구석이 박살이 났을 만한 위력이었다.

그녀는, 곧바로 추적을 시작했다.

*

점퍼끼리의 추적전은 지루한 순간이동의 반복이었다. 결국 도약 횟수가 누가 더 많은가, 집요한가의 싸움이기도 했다.

먼저 달아나는 이는 점프와 점프 사이, 틈을 이용해 조금이라도 다른 장소에서 도약을 하기 위해 애쓴다. 짧은 순간에 만들어내는 오차를 통해 추적자의 추적 도약을 따돌리기 위해 머리를 쓴다.

거의 흰, 새어버린 머리를 가진 청년이 먼저 호텔 방에서 사라졌고, 메리가 그를 뒤쫓았다. 야가미는 호텔에서의 상황이 종료된 것으로 판단하고 먼저 하야시를 피신시켰다. 그가 방의 구석에 몰아넣고 등 뒤로 가리고 있던 부대신의 어깨에 손을 얹으며 도약해 사라졌다.

아마 아직 위치가 노출되지 않았을 안가로 옮겼다. 단체 도약으로 인해 갑자기 풍경이 바뀌는 것을 느낀 하야시는 생경한 표정을 지었고, 야가미는 그에게 별다른 설명을 해 줄 시간이 없음을 인지하고 있었다.

저녁, 다시금 벽난로가 화면 속에서 타들어가는 안가의 소파에 그를 둔 야가미가 호텔로 움직였다.

호텔에는 순식간에 일어난 상황에 제대로 대처하지 못했음에, 자책하는 표정을 짓는 경호원들이 있었다. 그리고 민서 역시. 민서는 여러 발의 총알을 몸통에 맞고 꺽꺽거리며 속을 게워내고 있었다. 딱히 토를 하고 있지는 않았지만, 그 비스무레한 자세를 취하며 고통을 표현한다.

보통 점퍼 조직의 방탄 자켓과 피복을 입은 채로 총에 맞으면 저런 반응을 보이게 된다. 날카로운 맨주먹을 살에 맞은 느낌이다. 헤비급 복서의 것으로 말이다.

이런 추적전에 있어서도, 결국 재머의 존재는 변수가 될 수 있었다. 그는 돌아오자마자 메리가 사라진 곳에서 그녀가 향한 도약의 위치를 읽었다. 그리고 민서의 곁으로 점프했다. 호텔 내부의 방 안. 몸을 웅크린 민서의 등에 손을 얹으면서 야가미가 도약을 한다.

수 초가 지났으나 도약의 흔적은 간신히 잡아내었다. 이런 류의 행동은 야가미가 가장 자신 있어 하는 부류이기도 했다. 도약의 전조 증상이나 그 흔적에서 정보를 읽어내는 일 말이다. 재머의 재밍이 제대로 듣지 않고 있는 모양이었다. 호텔로 이동을 했음에도 별다른 왜곡이 없는 것을 보면. 일부러 민서가 풀었을 수도 있지만, 정신을 차리지 못하고 있다 생각하는게 자연스러웠다.

야가미가, 민서와 함께 메리가 향한 곳으로 도약했다.

*

시야가 회복되기 전에 야가미가 느낀 건 추락하는 기분이었다. 한 호흡이 지나기 전에 암전되었던 시각이 돌아왔다. 그는 떨어지고 있었다. 메리를 쫓은 곳은 허공이었다. 지독한 점은, 그렇게 높지 않은 곳이라는 점이다. 깜빡하면 그대로 낙상을 당할 만한 자리였다.

어느 도시의 폐건물 옥상에서, 깨나 떨어진 허공이었다.

민서의 등에 얹었던 손이 떨어지기 전에 상황을 인지했고, 곧바로 도약을 했다. 그들은 다행스럽게도 콘크리트 바닥에 부딪히지 않고 그 위에 착지한다. 수 미터 아래로 안전하게 점프를 한 것이다. 점프를 하면 전후에 있던 관성은 사라진다.

전투 중에 점프를 이용한다면, 동작의 중간부터 힘을 주어야 하는 묘기를 많이 부리게 된다. 필연적으로 근력의 향상이 요구되었다.

홍인수는 얼핏 마른 체격처럼 보이지만, 늘 걸치고 있는 양복 재킷 너머로 나름대로 탄탄한 근질을 보유하고 있었다. 몸을 유지하기 위해서 지속적으로 운동을 하고 있기도 하다.

야가미는 그런 면에 있어서는 소드 마스터나 리시버에 비해서는 조금 여유가 있는 편이었다. 같은 근접 전투 요원끼리도, 약간의 차이는 있는 법이다.

야가미는 자신이 자리한 곳에서 JE의 흔적을 읽어냈다. 앞선 도주자와 추적자의 점프는 바로 그곳에서 시행되었다. 옥상의 허공에서 나타난 그들은 거의 바닥에 닿을만한 장소에서 도약을 했던 모양이다.

추적 도약에 약간의 텀이 걸리므로, 청년은 허공에서 다시 곧바로 움직였을 테고 메리가 지금의 야가미처럼 관성을 줄인 뒤 조금의 차이를 두고 쫓았을 것이다. 야가미는 희미하게 남은 그들의 정보를 파헤치며 계속 움직였다. 후욱, 하고 그의 신형이 사라진다.

야가미는 아까 같은 상황을 상정하고, 민서의 팔을 강하게 안으며 움직였다. 미치광이 점퍼가 어디로 도주로를 선택했을지 알 수 없기 때문이다.

그리고 야가미는 곧이어 이어지는, 목 아래 까지의 몸이 전부 보내는 물에 대한 감각에 이번 추적에 대한 생각을 다시 해야 했다. 상대가 정말로 어느 곳을 도주로로 택할지 알 수 없었다.

금세 눈이 뜨였다. 그들은 바다처럼 보이는 곳에 있었다. 대략적인 정보로 얻은 위치도, 대서양 어느 한복판 즈음이었다. 점프를 자주 반복하다 보면 약간의 데이터가 개인에게 조금쯤은 남게 마련이었다. 자신의 경험에 빗대어서 현재 위치를 대강 추론하는 것도 가능 했다.

"폽"

민서는 조금 아래에 위치해 있고 몸을 가누지 못하다가 물을 먹었다. 다행히 상대가 어디론가 멀리 간 뒤 점프를 시도하지는 않았다. 아직 희미하게 남아 있는 흔적을 따라 계속 추적한다.

야가미가 단체 도약을 했다.

*

메리는 집요한 추적자였다. 딱히 조직의 트래커는 아니었지만, 적어도 코앞에서 도주하는 상대를 놓칠 정도로 녹록한 요원도 아니었다.

기어이 뒤를 쫓아 상대를 아작내고야 마는, 유도 미사일과도 비슷했다. 그녀의 성격이나 행동이 말이다.

그녀가 쫓는 상대방의 도주로는 나름대로 참신한 편이었다. 자신의 몸에 대한 혹독함은 신경쓰지 않는 듯 대담한 점프를 반복했다. 금방 부딪힐 듯한 허공이나 바닷 속, 아무 데로나 도약을 한다. 상대의 몸 상태가 그녀보다 좋지는 않을 테였다. 뇌에 가해진 충격은 바로 회복할 수 있는 것이 아니었다.

청년의 머릿속은 번쩍거리거나, 계속되는 현기증이나 멀미처럼 어질거리는 상태를 유지하고 있을 지도 몰랐다. 그런 상황에서 점프를 한다는 게 나름대로 강단이 있는 도주자였다.

폐건물 위의 허공, 바닷 속, 사막, 산, 도시, 인적 없는 산 속의 마을, 어느 모텔.

다양한 곳을 뒤따르며 지나쳤다.

상대는 결국 끝까지 메리를 뿌리치지 못한다.

그녀는 반복적으로 추적을 하다가, 한 가정집 처럼 보이는 주택의 내부에서 멈칫했다. 다음 도약지로 향하는 정보가 이상한 낌새를 보였기 때문이었다.

적어도, '지상'은 아니었다. 심지어 지구의 대기권 내부가 아닌 것 같았다.

도약의 흔적에서 대략적인 방향과 거리감 정도는 우선적으로 파악할 수 있었다. 고도가 너무 높다 못해, 일반적으로 지구에서 행하는 점프의 위치 정도가 아닌 수준이었다.

이 정도면 분명히 우주 공간이다. 대기권을 넘어서. 만약 도주자가 스스로 자폭을 하려는 게 아니라면, 지구 근처의 우주 공간에 그가 안전하게 존재할 수 있는 장소가 있다는 말이었다. 그러나, 이 정도가 되면 점프 자체의 난이도가 올라간다.

고속으로 움직이고 있는 위치로의 점프는 상당히 숙련된 점퍼가 아니라면 애를 먹는 일이었다. 그리고, 그것이 단순히 지구 내의 것이 아니라 우주에서의 일이라면, 어지간한 달인이 아니라면 실패의 확률이 훨씬 높았다.

예컨대 지구 근처에서 궤도를 그리며 떠다니는 인공 위성, 우주 정거장의 좌표를 계산해서 그 내부에 들어가려고 해도 자칫 타이밍을 잘못 맞추면 그대로 우주 공간 바깥에 노출되게 된다. 그리고 우주 공간의 궤도를 떠다니는 정거장의 속력은 일반적으로 지구상에서 겪는 것과는 단위가 다른 종류였다.

정말로, 이 급박한 도주 중에 한 순간의 계산으로 그 내부에 정확히 안착을 할 수 있나?

메리로서도 망설여지게 되는 도약이었는데, 그를 앞서가는 청년
은 일단 도약을 해내었다.

일정한 궤도 상의 움직임은, 어느 정도 보조 자료가 있다면 점
프를 하기에 나쁘지 않은 조건이기는 했다 정확하게 수학적으로
예측이 되는 자리라면 JE상의 용량을 그리 많이 잡아먹지도 않는
다(점퍼들은 JE로 이루어진 무형의 컴퓨터를 다루고 있다고 해도
좋았다. 난이도가 어려운 점프를 시도할 때, '가상 메모리' 따위의
개념이 있어서 실질적으로 보다 시간이 걸린다. 이는 가시적이거나
실질적인 보조 자료들이 있을 때 적게 소모된다).

굳이 따라가고자 한다면, 시도는 해볼 수 있었지만 일단 메리는
멈추었다. 다만 위치 데이터를 기반으로 그가 어떤 우주 정거장에
안착을 했는지 찾는 정도로 일단락 하기로 했다.

이런 종류의 일에 점퍼 조직은 상당한 인프라를 갖고 있었다.
짧은 연락만으로도 해당하는 상세한 정보를 얻을 수 있었다.

메리는 위성 통신이 되는 전화기로 조직 내부의 백업 팀에 연락
을 했다. 그녀가 전할 수 있는 대략적인 좌표나 방향, 고도 따위로
상대가 도망친 장소를 좁혀볼 수 있었다. 해당하는 곳이 하나였다.

누구나 간단하게 위치를 찾아볼 수 있는, 국제 우주 정거장의 내부였다.

*

추적의 끝은 일종의 실패였다. 청년, 샤오 첸의 뒤를 쫓는 점퍼는 없었지만, 그 역시 무사하지는 못했다.

일반적으로 추적전의 마지막은 상대의 제압이었다. 신병을 확보하고, 그로부터 정보를 토해내게 만드는 것이 목적이었다. 과정 중에 상대를 놓치거나, 도주자가 변고를 당한다면 그건 일종의 실패일 테다.

샤오 첸은 어질어질한 머리를 가지고 대담하게 점프를 시도했다. 마구잡이로 가는 듯, 보일 정도로 이곳 저곳을 오가던 그가 마지막으로 택한 도주지는 지구 바깥이었다. 이 정도의 모험을 보여주지 않으면 상대를 뿌리치기 힘들 것이다, 라는 본능이 있었을 지도 모른다.

그는 중국쪽 조직 범죄의 일원이었고, 점프 능력을 각성한 뒤로 다양한 곳을 오가며 자신의 능력을 사용했다. 알게 모르게, 크게 드러나지 않는 선에서 모습을 감추었던 그가 두각을 드러낸 것은 최근이었다. 일본 쪽 조직과 연이 닿아서 그 쪽의 조력자로 움직이게 된 그는 깨나 유명한 대상의 암살을 목적으로 움직이게 된다.

괴상한 사이비 종교와, 비정상적인 정치적 단체, 그리고 범죄 조직이라는 악랄한 연계를 가진 무리들 속에서 그는 주어진 임무를 다하다가 삐끗하게 된다.

'재머', 라는 존재를 만난 것부터가 예상 외의 시작이었다. 점퍼 조직에 대해서는 들어본 적도 없었다. 자신처럼 움직이는 이들이 있을 지 모른다는 생각은 한 적이 있었지만. 그런 사실이 그에게 조급함을 주었는 지도 모른다.

샤오 첸은 마지막 순간에 비장의 도주로처럼 여겨졌던 곳으로 도약을 한다. 비단 생각은 해두었지만, 실제로 도주 중 이용하는 것은 그때가 최초의 순간이었다. 그전에는 안전한 곳에서 충분한 시간을 두어 시도를 해서 성공을 했었다.

그는 자신의 점퍼로서의 능력을 과신했고, 실패했다.

급박한 순간, 얻어 맞아서 어질거리는 머리와 전투를 위해서 복용한 마약류 진통제가 정신을 혼미하게 만들었다.

그는 대강의 감각으로 점프를 시도한다. 일본 쪽 조직에서 내어 준 어느 저택의 내부에서 몇 초의 여유도 가지지 못한 채 곧바로 계산하고는 했던 궤도 상의 위치로 움직였다.

그는 본능적으로 점퍼로서 움직이며 다양한 잡기들을 익혀왔다. 그건 점퍼 조직의 베테랑들이 오랜 시간 노하우를 쌓아와 공유하고는 하는 기술들의 편린과도 닿아 있었다.

점프의 실행과 취소를 반복하며 대강의 거리감을 잡고, 도약지의 상태를 살핀 뒤 우주 정거장을 발견했다고 한 순간 그것의 속도를 계산해 도약했다.

그리고, 어딘가 현실을 바라보지 못하는 듯 몽롱한 눈빛으로 저택에서 사라진 그가 나타난 곳은, 이미 지나가 버린 우주 정거장을 바라본 채로 있는 황량한 우주 공간이었다.

비현실적인 광경이었다. 검고 어둡고, 끝이 없는 허공에 그가 떠 있었다. 그의 너머로는 거대한 지구의 모습이 보인다. 저 멀리에서는 태양 빛이 그를 비추는 듯하다.

샤오의 상태는 정상이 아니었다. 그는 순간적으로 뇌진탕을 일으키지 않은 것이 다행이었고, 어깨는 얕지만 총상을 입었다. 마약류 진통제에 의해 정신도 뚜렷하지 않다.

그는 진공 상태에서 본능적으로 움직였다. 순간적으로 공기가 없는 공간에 노출이 되며 헛숨을 삼키고 숨을 참았다. 감압 상태에 놓인 몸에 제동이 걸리자 부하가 일어났다. 빠져나가야 할 기체가 외부로 나가지 않고 내부로 파고들었다.

압력 변화로 폐에도 무리가 간다. 그는 통증에 둔한 상태였으나, 더욱더 이성을 잃어갔다. 그가 죽기까지에, 점퍼로서는 꽤나 많은 시간이 있었다. 그는 다시 점프를 시도했다. 그러나 JE가 그의 생각처럼 말을 듣지 않았다. JE, 점프는 그의 정신으로 조작하는 기계 장치에 가까웠다. 입력 장치가 되는 그의 정신이 오류를 일으켰다.

제대로 버튼이 눌리지 않는 상황이었다. 그는 곧 몸의 이상 속에서 패닉에 빠져들었다. 정신이 혼미하다. 일단 공기가 없기에 질식의 위험이 있었고 함부로 참은 숨 때문에 내부 장기도 이상이 생겼다.

그가 자기도 모르게 손을 휘저었다. 손에 끝까지 움켜지고 있던 기관단총이 맥없이 놓여졌다. 환상처럼도 보이는 비현실적인 우주 공간 속에서 그가 겪고 있는 고난은 실존하는 것이었다.

샤오는 사라지는 우주 정거장 쪽으로 자기도 모르게 점프를 시도했다가, 제대로 계산이 이루어지지 않았고 실패했다. 곧장 어디든 생명을 유지할 수 있는 지구 상의 장소로 이동하려 했지만 몸도 정신도 말을 듣지 않았다.

그는 곧이어 숨이 막혀옴을 느꼈다. 내부 장기도 엉망이었고 질식에 대해 침착할 수 없었다. 마약류의 약물은 그의 정신이 그저 이대로 죽어감을 바라보게 만들었다. 어딘가 현실감이 없었다. 그는 감기듯 반쯤 내려온 눈꺼풀 사이로 정신을 차리려고 애쓰다가,

수 분 내에 결국 정신을 차리고 점프를 해내지 못했다.

***

점퍼 조직은 세계 각국의 지휘부와 연결이 되어 있었다. 지휘부라 함은, 정치적, 혹은 행정적 수뇌부를 뜻했고

그것은 국제 정거장 내부의 소식을 확인할 수 있는 연결고리가 있음을 의미했다.

점퍼 조직의 본부로부터 전해 들은 소식에 의하면, 일단 우주 국제 정거장에서 별다른 변화는 없었다. 내부 카메라나 승무원들로부터도 특이 사항의 발견은 없었다. 물론 정거장 내부에 밀실이 없는 건 아니었고, 순간의 시간이 있다면 점퍼는 어떤 공간도 지나칠 수 있었지만 최소한의 흔적이 남은 일은 없었다.

메리나 야가미는 확률이 높은 추론을 했다. 마지막까지 샤오 첸을 쫓았던 메리는 그의 상태에 대한 가장 정확한 관찰자였다.

이곳저곳에 부상을 당한 상태에서, 추적전을 벌이는 와중에 우주 정거장으로 점프를 시도했다면 아마 열에 일고 여덟은 실패했을 테였다. 그가 나름대로 도약이라는 능력에 일가견이 있는 점퍼라고 해도 그렇다.

리시버나, 소드 마스터나 가능할 법한 묘기였다. 일반적으로 전 세계에 흩어져 있는 대개의 점퍼는 조직에 속한 이들보다 능력에 대한 이해도나 활용도가 낮았다.

자신과 비슷한 능력을 가진 이들과 모여서, 정보를 공유하고 수 없는 실전을 거치는 일은 분명히 미지의 능력을 개발하는데 큰 도움이 되었다.

앞이 보이지 않는 길을 가는 일에 지도를 가지고 있느냐, 없느냐 수준의 차이와도 같았다.

정확한 방법과 개발의 방향을 이해하고 훈련을 하는 것과 정해진 길의 존재조차 모르는 것. 그건 일종의 기술이나 문화가 꽃피운 중심지에 있는 이들과 변방에 속하는 이들의 격차같은 것이었다.

외부에서 활동을 하던 점퍼였던 샤오로서는, 특별한 형질이나 천재적인 자질을 타고난 게 아니라면 아마 그게 그의 마지막이었을 확률이 높았다.

우주 공간에서 도망자의 마지막을 확인하는 건, 이미 망망대해에 휩쓸린 사람을 찾는 것이나 다름 없었다. 그들은 그렇게 일시적으로 일본에서의 호위를 마무리했다.

점퍼의 위협이 사라진다면, 다음은 다른 특기를 가진 이들이 활동을 할 차례였다. 일본 내에서 움직이는 각종 조직이라면 결국 일본의 치안력이 추적을 하는게 가장 빨랐다.

전국적인 경찰 조직이 해당 사건에 연루 되었던 단체들을 검거하고 흔적을 쫓았다. 위치나 근거지가 확실하다면 일망타진은 일방적인 화력이 있다면 손쉬운 일이다.

검거나 제압, 초토화 작전에는 점퍼 조직 또한 손을 거들었다. 홍인수는 오랜만에 브레이커와의 합을 맞추어 움직였다. 대부분 단체의 근거지는 도쿄, 멀어져도 일본 내에 있었고 유감 없는 물리력을 발휘하며 두 사람이 범죄자들을 제압했다.

*

김민서는 길을 걷고 있었다.

이대로 살아도 좋은가에 대한 의문이었다.

그의 머릿속을 잠식하고 있는 건.

늘 뒤따르는 의문으로, 특히나 날씨가 쌀쌀해지면 그와 같이 찾아오는 정신적인 고난이었다.

그리고 그런 고난은 실제로 죽음을 맞닥뜨리게 되는 점퍼로서의 임무와 접하면서 심화 되었다. 목적 없이 사는 건 좋다. 죽음은, 그가 이해할 수도 감당할 수도 없는 일이었지만 어쩔 수 없는 일이었다. 그러나 목적 없이 살다가 죽는 건 그럴 수 없는 일이었다.

적어도 마지막이란 게 있다면 삶에서, 그는 그 과정에서 자신이 할 수 있는 모든 걸 해야만 했다. 그걸 보통 인생이라고 한다. 그리고 그것을 보통, 소설에 빗대어 말한다면 결말이라고 하고 그 사이의 줄거리라고 할 테다.

그래서, 그는 김수정에게 고백을 하려 했고

"왔어."

약속 시간보다 조금 일찍 도착한 김민서를 반기게 더 일찍 자리한 수정을 보자마자 결심이 쏙 사라지고 말았다.

그들은 여느 때와 다름 없이 집 근처의 번화가에서 만났다. 성현대학교를 같이 다녔던 그들에겐 익숙한 장소였다. 원래 살던 집에서 멀지 않은 곳으로 대학교를 간 그녀는 상당히, 공부를 잘해서 선택하여 간 경우였고 김민서는 성적에 맞추어 들어간 것이었다.

일단 지방에서 서울로 올라온 것만 해도 스스로 깨나 큰 모험이요 진보를 했다고 생각하고 있기는 했다, 늘. 그의 고향은 충청도였다.

그리고 요즘은 지방에서 서울로 올라온 수준이 아니라 상당히 세계적인 스케일의 모험에 곁가지로 참여하고 있기는 했다. 그러다보니, 온갖 센티멘털한 감상에 사로잡혀 잘 하지 않는 짓을 하려고까지 했던 것이었고.

그는 오후의 햇살과, 가을의 차가운 바람이 함께 하는 거리에서 김수정을 빤히 바라봤다. 추위를 많이 타는지 스웨터 같은 걸 걸치고 왔다. 참 괜찮은 녀석이었다. 성격이나 말투, 습관이나 행동. 착한 것이나, 미안하게도 자신을 곧잘 기다려주고는 하는 배려심 따위를 보면 말이다. 무엇보다 귀엽게 생긴 것도 있었고.

"음. 얼마나 일찍 온 거야? 얘기를 하던가 하지."
"얼마 안됐어. 잠깐 있다 보면 올 줄 알았지. 실제로 네가 왔고."

굳이 따지자면, 똑부러지는 점도 마음에 들었다. 실제로는 어떤지 모르지만. 일단 평소에 말하는 건 그런 편이다.

장난기를 부려도 지지 않고 잘 받아주는 편이었고, 개그 센스도 좋았다. 어디까지나 민서의 관점에서.

"갈까. 배고프다. 일단 밥 먼저 먹자."

민서의 말에 그녀가 고개를 끄덕였다. 2시였으니, 약간 늦은 점심이었다. 아침을 먹지 않았다면 허기질 시간이었다.

종종 만나고는 하는 그들이 찾는 건 특별한 맛집은 아니었다. 금방 약속을 잡고, 집 근처에서 볼 수 있는 곳에서 익숙한 음식점에 들어가는 일도 잦았다. 나름대로 오래된 친구였다. 같은 고등학교를 나왔고, 대학교도 같았으니. 서로에 대한 것들은 많은 부분이 익숙했다.

둘은 차근차근 걸어 근처의 정식집에 다다랐다. 학기 중의 대학가는 어지간하면 사람들이 붐비는 편이었다. 학생들로 말이다. 식당들 역시 점심을 해결하기 위해 나온 근처 대학생들로 차있다. 둘은 그 사이에 앉으며 메뉴를 살폈다. 주로, 한식을 많이 먹는 듯했다. 대개는 음식 취향이 비슷했다.

"여기 김치찌개 정식이랑 불고기 정식이요."

수정이 말했다. 민서가 그 모습을 보다가 이야기했다.

"앞치마 같은 거 써? 튀면 좀 그렇겠는데."
"갖다주면 고맙고."

어느 한 구석에 걸려 있는 걸 민서가 가져다주었고, 그녀가 스웨터를 옆 좌석에 두곤 앞치마를 걸친다. 민서가 말했다.

"여긴 늘 와도 맛있긴 한 거 같아."
"아주머니 요리 잘하시니까. 학교 다닐 때부터 맨날 왔잖아."

늘 오는 집이었으나, 늘 올때마다 맛있는 식사를 하고 가는 곳이었다. 나름대로 성현대 학생들한테는 유명하기도 하다. 약간 늦은 시간이라 이 정도가 한산한 편이었다.

"요새, 돈 벌고 있어."

금세 밑반찬이 나오고, 수저를 꺼냈다. 나무 테이블에 그리 크지 않은 실내였다. 둘은 4인용 자리에 앉아 서로를 바라보고 있었고. 민서는 시금치 정도를 집어먹다가 문득 말을 꺼냈다. 수정이 물을 따라 마시려다 민서를 보고 물었다.

"음… 알바? 전에 한다고 했던? 갑자기 재력을 과시하는 거?"

능청스러운 구석이 있는 친구였다. 수정은. 민서는 그다지 웃지도 않으며 말을 이었다.

"아니, 최근에 정직원 비슷한 게 됐거든. 생각도 못했던 정도로 조건은 좋은데….”

수정이 눈을 가늘게 뜨며 말했다.

"그거, 취업 준비하다 다 떨어진 나한테 할 소리야.”

민서는 젓가락을 휘적거리며 부인했다.

"그런 게 아니고…. 자랑이 아니라 고민 얘기야. 돈은 주지만 그만큼 일도 있거든. 그리고 과연 내가 그 일을 끝까지 할 수 있을까 싶은거지.”

수정은 말없이 그를 빤히 쳐다 봤다. 민서는 설명이 좀 더 필요하겠다 싶어 입을 열었다. 얼마 지나지도 않았는데 곧 종업원이 다가와서 메인 정식을 내어주었다. 김치찌개가 먼저 나왔다.

"예를 들어 말하면 이런 상황이란 말이지. 나는 해본 적도 없는 종류의 일인데, 그쪽에서 사람이 급한 자리에 T.O가 있어서 내가 우연히 취직한 거야. 그리고 할 일은 있지만 그 외에 대부분의 것들은 너무 어색하거든. 거의 갑자기 총알이 날아들고 폭탄이 터지는 교전 지역 근처에서 방탄복 입고 머리를 싸매고 있는 수준이거든? 내가 적극적으로 할 수 있는게 너무 적거든?"

예를 든다고는 했지만 사실이었다. 사실을 말해도 전혀 의심받지 않을 만큼 생경한 상황이라는 게 아이러니였고, 그게 곧 민서의 고민이기도 했다. 누가 이런 말을 믿어주나!

둘 사이에 보글보글 끓는 김치찌개의 뚝배기가 놓여 있었다. 이 집은 찌개가 맛있었다. 다른 것도 아주 좋았지만. 아주머니의 비법 육수가 들어간 김치찌개는 국물만으로도 세 끼를 먹을 수 있을 만큼 괜찮았다.

무슨 생각을 하는 건지 모를 맑은 눈으로 그를 쳐다보던 수정을 보다가, 민서가 숟가락으로 찌개를 한 입 먹었을 즈음이었다. 그녀가 이야기했다.

"…할 수 있는 걸 해, 그냥. 할 수 있는게 아무것도 없는 사람들도 얼마나 많은데."
"…제가 이 일을 끝까지 할 수 있을까요. 도중에 총 맞아서 끝장나면 어떡하지?"

수정이 숟가락으로 뚝배기를 톡톡 두드리자 맑은 소리가 났다.

"아, 거기까진 내가 모르겠네요. 내가 신도 아니고. 정 무서우면 그만 두면 되잖아."

그러면서 그녀 역시 먼저 나온 찌개를 먹기 시작했다. 보통 다른 메뉴를 시켜서 나눠 먹고는 한다. 작은 국자가 있어서 덜어 먹기도 편했다.

"…그렇지…."

민서는 별로 해결이 된 것 같지 않은 상담이었지만, 나름의 해답을 얻었다. 해답과 함께 불고기가 나왔다.

어찌 되었건, 그가 점퍼 조직에서 일을 하기로 한 건 그들이 그래도 공공선을 위해서 움직인다는 인식이 있었기 때문이었다. 아무런 사명감도 없이 위험한 자리에 발을 디밀고 몸을 던지는 자들은 아니었다. 누군가를 위해서, 자신의 특별한 능력을 사용하는 이들이었기에 함께 해볼까, 하는 생각이 들었던 것이다.

물론 위험은 하지만, 그 역시 스스로 하고자 했던 일들이 있었다. 자신에게 별다른 능력은 없었지만, JE1이 작용하는 곳에서 JE2의 보유자는 깨나- 특별한 능력의 소유자가 된다.

바꾸어 말하면 김민서가 이 세상에서 가장 크게 영향력을 떨칠 수 있는 방식의 일이기도 했다. 보통의 남자라면 그런 자리에 있고자 하기 마련이었다. 아주 자연스럽게, 그런 법이었다. 더군다나 그것이 나쁜 일이 아니라 누군가에게 도움이 되는 일이라면 그 역시 사명감을 느끼게 될지도 모른다.

"…후릅."

그는 김치찌개를 덜어 먹으면서 말했다.

"고맙다. 아무튼 오늘 밥은 내가 살게."
"그래! 일자리 찾았으니까 불쌍한 취준생 밥이나 사줘!"

그녀를 만나기 전에 뭔가 하려고 했던 것 같았지만 찌개나 불고기를 먹는 와중에 기억의 저편으로 사라진 것 같았다.

그녀가 늦었다는 듯이 아무튼 취업한 것에 대해 축하한다며 말을 꺼냈다.

*

*

멕시코의 마약왕.

정도는 사실 손쉬운 상대였다.

그를 노리는 자가 점퍼로서의 능력을 갖고 있고, 다양한 전투에 능숙한 베테랑이라면 말이다. 화력전이 가능한 풍성한 장비 세트를 보유하고 있다면 일이 더 쉬워진다.

홍인수는 그것들을 모두 갖춘 편이었다.

어두운 실내. 나름의 아름다움으로 꾸며진 장식물들이 즐비하게 늘어져 있는 공간이었다. 카톨릭과 여러가지 사상적 혼합물들의 결과물인 온갖 조각상들이 산만한 집단 예술처럼 넓은 공간을 가득 메운다.

나름의 정렬과 일관성은 있었다. 홀Hall이라고 할만한 저택의 거실이었다. 바닥부터 장식장과 여러 개의 단을 가득 메운 석재, 금속재 조각상들이 빼곡이 들어차 있고 천장에는 샹들리에가 달려 있다.

중간중간에 촛불이 여러개 있어서 그것의 일렁거리는 빛으로 안

219

을 비춘다. 금목걸이, 처럼 값비싼 악세사리가 여기저기 제사의 장식물처럼 늘어져 있었다. 실상은 그 주인이 대강 놓아둔 것에 불과했다.

바닥에는 고급 카펫이 깔려 있었다. 단순한 색은 아니었고, 멕시칸을 상징하는 듯 여러가지 색의 배합이 있는 물건이었다. 그런 눈둘 곳이 마땅찮은 어지러운 저택의 거실. 커튼이 쳐져 있는 곳이 많아 한낮에도 빛이 적었다.

조직의 보스가 사용하는 거대한 저택이었다. 그곳에서 그는 심신의 안정을 찾는다. 검은 머리를 뒤로 길게 땋은 건장한 체격의 남성이었다. 30대 후반에서 40대 초반 정도. 집에서도 양복을 걸친 뒤 그 안에 있는 근육의 존재감을 드러내는 남성이 어지러운 거실의 카펫 위에 앉아 있었다.

턱을 괴고 바닥에 앉은 채로 명상을 하듯 있는 그곳은, 보스인 조한 로드리게스의 예배실이나 마찬가지였다. 카톨릭을 비롯해 다양한 삼류 종교나 사상에 영향을 받은 그는 잡신이라 할만한 수많은 형상들에 둘러 싸여 고요를 찾고 있었다.

그의 손에는 묵주가 있었고, 목에는 해골과 십자가가 섞인 금색 악세서리가 걸려 있었다. 양복의 바깥, 손등이나 목덜미에는 험상궂은 문신의 말단이 튀어나와 있다. 사내는 입을 굳게 다물고 어딘가를 처다보고 있었다. 실상은 아무것도 보지 않는 것이었다. 초점을 흐리게 하고 생각을 하는 듯 가만히 있을 뿐이다.

그는 거대한 조직을 다루고 여러가지 일을 하면서 이런 시간들이 필요했다. 막 나가는 인간이라도 심신의 안정 정도는 가끔 필요한 법이었다. 조직이 커지면서 겪어야 했던 항쟁 가운데 부인을 잃으면서 이런 시간들을 더 가지게 되었는지도 모른다.

그는 스스로 한계를 조금씩 느끼고 있었다. 조직 내의 어떤 부하에게나 적에게도 털어놓을 수 없는 고민들이었다.

탕!

그리고 그런 그의 고민을 한 발의 총성이 잠시 멈추었다.

"뭣."

로드리게스는 반사적으로 고개를 들며 정신을 차렸다. 이 저택에서 갑자기 총성이 날 리는 없었다. 일대에서 그의 조직에 반대할만한 카르텔은 없었다. 그는 멕시코 남부의 마약 상권을 완벽하게 쥐고 있는 대조직의 수장이었고, 대형 카르텔의 주인이었다. 멕시코의 군대나 치안 병력도 그에게 함부로 하지 못한다.

그런 그의 집에서 그의 명령 없이 총성이 난다는 건 분명 말도 안되는 일이었다. 한 발이 들렸던 총성은, 곧 연이어서 들리게 되었다. 투다다다다다다다! 귀따가운 소리다. 누군가 기관총이라도 갈기는 듯했다. 그게 말이 되나? 로드리게스는 다시 생각했다.

안타깝게도 그가 있는 저택 거실이나 근처에서 외부를 볼 수는 없었다. 쓸 데 없이 넓은 집이었고, 쓸 데 없이 번잡한 장식들이었다.

예배를 드리는 건 아니었지만, 저택에서 불을 끄고 혼자만의 시간을 가질 때는 핸드폰이나 통신기기도 멀리 두고서 있다. 그로서는 허를 찔린 것이나 다름 없었다.

적대적 조직인지 뭔지는 알 수 없지만, 규모에 따라서 섣불리 나서는 것도 위험하다. 그는 일단 도주로를 머릿속에 그리며 움직이려 했다. 저택 내부에도 방공호가 있었지만 상황에 따라서 자리를 피하는게 나을 수 있다.

상대가 정문으로 들어온다면 후문 쪽으로 가야 한다. 저택의 뒷문 방향의 쪽문이 있었다. 차고 또한 실내에서 바로 갈 수 있는 위치에 있었고. 속도가 빠른 스포츠카 종류나, 그 외 아무거라도 타고 그대로 질주를 하는 것이 괜찮을 수 있었다.

로드리게스는 자리에서 일어섰다. 그가 믿고 있는 부하들이 상대방을 막아서지 못했다면, 그 혼자 나서서 적을 이기려 드는 건 어리석은 일에 가까웠다. 수장은 살아남아서 사태를 파악하고 조직의 재정비를 해야 한다.

약간은 까무잡잡한 피부. 긴 흑발을 뒤로 묶은 사내가 움직이려 들었다. 그리고 결과적으로 말해서, 그의 계획은 실행되지 못했다.

후욱, 하는 소리가 들리는 것 같았다. 어딘가 바람이 빠지거나 불어오는 것도 같은 기이한 소리이다. 로드리게스는 문득 소름이 돋는 것을 느꼈다. 불길한 예감은 언제나 그의 생명을 살려주었던 고마운 능력이다. 지금 그런 예감이 들었다.

"Hello, Mr.Rodrigues! I'm the terminator of your peaceful days!"

어둡고 일렁이는 촛불들로 밝혀진 실내에서 뒤를 돌아 도주하려던 로드리게스를 부르는 인삿말이 있었다.

그는 순간 움직임이 굳었다. 어떠한 전조도 없이 누군가 그의 곁에 다가와서 소리를 낸 것이다. 여태껏 기민한 감각으로 난전을 돌파하며 살아온 그였기에 지금 상황의 이상함을 더욱 선명하게 느낄 수 있었다.

그리고, 그런 신원 불명의 존재가 건넨 인삿말 역시 나름대로 충격적이었다. 맹세컨데, 그가 살아오면서 이 따위 인사를 들어본 적은 없었다. 그가 어릴 적부터를 쳐도 말이다.

그가 대형 카르텔의 보스가 된 이후로는, 더욱 조금의 가능성도 없는 말이었고.

로드리게스는 후문으로 나가려던 몸을 돌려 홀에서 정문 쪽으로 향하는 방향을 쳐다보았다. 저택의 정문은 어떠한 소음도 내지 않았다. 언제부터 이곳에 있었는 지는 모르겠지만, 자연스럽게 존재하는 괴한이었다.

양복 차림에 투명한 풀페이스 헬멧을 끼고 있다. 양 손에는 질 좋은 가죽 장갑을 끼고, 오른 손에 기관단총 하나를 들고 있다. 이상한 복장이요 차림새였다. 감히 그의 예배당에 구두를 신은 채 그대로 걸어 들어온 괴인.

키가 크고 훤칠한, 늘씬한 사내였다. 모델이라도 해도 좋을 정도이다. 풀페이스의 투명한 유리 너머로 보이는 얼굴은 그가 동양인임을 알게 했다. 다만 능숙한 영어 발음은 그의 국적까지는 추리하지 못하게 한다.

사내는 어딘가 장난기라도 어린 듯한 미소를 보이면서 있었다.

홍인수를 마주하는 로드리게스는 현재 상황이 이해되지 않았다. 그러나 그의 이해와는 상관없이 홍인수의 손이 먼저 움직였다.

그는 자주 즐겨 쓰는 MP5를 든 채다. 십 수 명이 넘어가는 무장 병력이 상대라면 보통 이 정도를 사용했다. 상대방의 방어구가 지나치게 두꺼워 더 큰 화력이 필요한 경우가 아니라면 말이다.

홍인수가 손을 들어 올렸다. 방아쇠를 꾹 당기며 한 손으로 기관단총을 갈겼다. 반동이 만만치 않았지만 그의 근력이나 솜씨는 일반적인 수준은 아니었다. 가볍게 칼을 휘두르는 것과도 비슷했다.

투다다다다! 하고 총열을 지나 납탄이 쏟아진다. 대각선으로 로드리게스가 꾸며 놓은 홀을 긁어낸 총알들이 인상적이다. 쨍그랑, 따위의 소리가 나며 각종 유리나 금속, 보석 소재의 장식물들이 박살이 났다.

그 파편이나 여파가 조한을 맞추지 않은 게 다행이었다. 대신 적어도, 그의 정신은 같이 박살이 났다. 예배당은 단순한 물건들 이상의 의미를 갖고 있었다. 혹은, 값 이상의 값어치였다.

그가 누려온 여태까지의 삶이 부숴지는 것과 같았다. 홍인수는 상황 파악이 어려울 조한에게 말했다. 그는 영어가, 농담을 하지 않는다면 제법 유창한 편이었다.

조한 역시 영어 정도는 능통한 인간이었고.

"남부의 마약왕 조한 로드리게스. 자네만 없다면 일시적으로 멕시코 치안에 큰 도움이 될 거 같네. 괜찮다면 나랑 같이 가주겠나? 싫어도 어쩔 수 없지만."

마치 신이 찾아와 그에게 하는 말처럼도 들렸다. 여기까지 그의 인생이 끝이고 바뀌어야 할 시점임을 알려 주는.

홍인수는, 단순한 인간이었지만 어쨌든 지금은 그의 해야 할 일을 다 하기로 했다.

눈 앞에 보이는 거리의 인간을 점퍼가 제압하는 건 아주 쉬운 일이었다. 거리를 좁힐 필요 없이 도약한다면 상대는 경계나 대비를 하지 못하고 그대로 잡히게 되어 있었다. 점퍼를 상대로 아주 노련하고 도가 튼 인간들이나, 눈 앞에서 그가 사라졌을 때 다이빙을 하듯 현재 위치에서 밧어나기 위해 몸을 날린다.

홍인수는 가벼운 조르기를 통해 로드리게스를 제압하고 데려가기로 했다.

리어 네이키드 초크, 라고 흔히 불리는 뒤에서 하는 목조르기는
실전에서도 쓸만한 제압기였다. 사실 제압기라고 하기엔 좀 흉악한
종류이기는 했지만.

홍인수가 즐겁게 얘기를 하다가 눈 앞에서 사라졌다. 눈을 뜨고
있었음에도 이해할 수 없는 일이었다. 마술이나 속임수라고 보기에
도 믿기 어려운 장면이다. 여태껏 로드리게스가 구경한 어떤 마술
사도 이런 일을 할 수는 없을 태였다.

"큽."

조한은 다음 순간 숨이 막히는 걸 느꼈다. 홍인수가 사라지고
나서, 그의 뒤로 돌아가 팔뚝으로 목을 조르기 시작한 것이다. 백
초크에 당하면 기절하기까지 얼마 시간이 걸리지 않는다. 그는 일
처리를 빠르게 내고 싶었다.

거구의 멕시칸이 홍인수의 팔에 붙들려 있었다. 다만 그의 퇴근
을 도와주지 않는 불청객들이 때를 맞추어 들이닥쳤다.

쾅! 하고 저택의 현관이 거칠게 열렸다. 곧이어 두터운 신발 그
대로 집에 달려 들어온 이들이 여럿이었다. 홍인수가 모든 이들을

해치운 건 아니었다. 어느 정도 교전과 제압을 하다가, 적당히 저택 내부로 이동을 해서 조한을 발견한 것이었다.

결과적으로 그가 조한을 한 번에 발견한 건 우연이었다. 그 뒤의 행동들은 마치 예상이라도 한듯 망설임없이 흘러 나왔지만.

마약왕의 세이프 하우스는 의외로 그 내부 정보를 얻기가 다소 힘들었다. 불가능한 건 아니었겠지만, 그러기엔 깨나 많은 인력이 들고 또 현존하는 다른 골칫덩이들에 치안력을 할애하고 있는 실정이기에 홍인수가 보내졌다.

홍인수는 달려드는 인원들을 향해 손의 힘을 풀고 기관단총을 드르륵, 긁듯이 난사를 했다. 정확히 말하면 사람을 겨눈 건 아니었다. 그 근처의 천장을 향한 사격이라도 보통 움찔은 한다.

그 정도면 점프를 하기에 적당한 시간이었다.

홍인수는 그대로 그를 뒤에서 안으며 단체 도약을 했다. 조한은 어질거리는 머리와 감겨가는 시야 속에서 자신이 어딘가로 움직이는 것 같다는 생각만을 했다.

그들이 어두운 저택 내부에서 사라졌다.

부하들은, 갑자기 사라진 보스의 행방에 일순 행동을 멈추었다. 사라지는 순간을 제대로 인지하지 못했기에 그들은 몇 날 며칠이고 저택의 내부와 지워진 도주의 흔적을 찾기 위해 낭비해야 했다.

*

한국은 안전한 나라다. 그런 생각이 있었다. 남미의 불안한 치안에 비한다면, 거의 천국에 가까운 삶의 환경이었다. 제3세계를 비롯해, 선진국의 반열에 끼지 못한 많은 나라들은 하루하루의 삶을 위협받으며 생계를 이어가고 있었다.

그리고 그건 비단 그들만의 일은 아니었다. 본질적으로 이웃을 도외시한 채 자신들만의 길을 가는 건 불가능한 일이었다. 결국은, 세계적 발전이란 지금 곁에 함께 살아가는 시대의 형제들에게 눈을 돌려야만 가능한 것이었다.

여러 명의 사람들과 구매력이 있기에 자본과 시장이 하나의 국가로 모이고, 그 나라의 국력이 만들어진다. 이끌 자가 없으면 리더도 없는 법이었고, 패권을 유지하고 세계의 정세를 안정화시킬 대상들이 없다면 세계의 패권국 또한 의미 없는 일이었다.

결국 모조리 부수고 조잡한 손재주로 세상을 망치려는게 아니라면 진솔한 공동체 의식이야말로 세계가 다음 발전을 위해 한 걸음

내딛을 수 있는 올바른 길이었다.

그리고 이런 논리의 반대편으로, 어떤 한 나라에서의 일이 다른 먼 나라의 일에 영향을 미치기도 한다. 각자가 눈에 보이지는 않아도 연결이 되어 있어서 서로 붙들고 영향을 주고 받으며 살아가는 것이 인생의 모습이니만큼.

때로 강력한 충격들은 그렇게 다른 곳에서의 일로 인해 갑자기 자신에게 다가오기도 한다.

*

홍인수는 조한을 데리고 여러 군데를 돌았다. 우선적으로는, 인터폴의 시설을 빌려서 구류한 뒤 정보들을 토해내게 만들었다. 지나치게 인도적이지 못한 방법들은 사용하지 않았다. 이미 상식도 여태까지의 삶도 무너진 조한을 꿰어내는 건 의외로 가능한 일이었다.

아무리 강력한 의지력을 지닌 보스라고 하더라도, 실제로 그의 신변을 납치해 구속한다면 낙관적인 미래를 꿈꾸기가 다소 힘든 것이었다. 더군다나 그의 낙관이 누군가의 어려움이 된다면 더욱 그러하다.

조한이 일구어 낸 카르텔, '검은 달'은 갑자기 우두머리를 잃고 혼란을 겪었다. 홍인수는 그를 데리고 다양한 회유를 시도했다. 주요한 점은 그것이었다.

홍인수만 보호복을 입고서 조한과 함께 우주 공간에 점프를 했다가 돌아온 일이다.

저 멀리로 지구가 보이고, 자신에게 가까이 보이는 땅이 달이라는 걸 깨달을 때 정신이 멀쩡할 사람은 얼마 없을 것이다. 최근 일정 기간 마약을 전혀 하지 않았다면 더할 테였다. 멀쩡한 정신으로 받아들이는 정보가 현실이라는 이야기였으니.

우주 공간에 노출된다고 바로 순식간에 사람이 터져 죽지는 않는다고 한다.

홍인수도 맨 몸으로 진공의 우주에 나가본 적은 없어서, 과학적으로만 알고 있던 사실이었으나 이번에 확인했다.

감압 상태로 인해서 몸에 변화가 일어나고, 그 때에 숨을 참으면서 압력 변화에 저항을 하면 폐기능에 문제가 생긴다고 한다.

그런 사소한 법칙 외에 일반적으로는, 사람이 죽기까지 분 단위의 시간이 걸린다. 결정적인 사인은 질식사인 경우가 많았고.

어지간한 이상은 전문 의료진, 세계에서 손꼽히는 수준의 의료 장비와 응급 의료 경험이 풍부한 의사들로 복구할 수 있었다.

고작 수 초에 불과했고, 로드리게스가 우주의 모습을 두 눈으로 확인한 건 그야말로 1, 2초의 시간이었지만 그의 정신이 털릴 정도의 자극은 되었다.

맨 몸으로 우주에 있다는 건 과학적 사실과는 상관 없는 지대한 공포였다. 홍인수도, 사실 점퍼로서의 능력이 아니라면 비슷한 패닉에 처할 테였다.

잠깐 대기권 바깥 우주 공간 적당한 지점을 골라 나들이를 다녀오고, 중력으로 인한 자유 낙하를 전 세계 곳곳의 상공에서 체험하며 세계 지도를 두 눈으로 보는 일을 하고 나서는, 로드리게스는 슬슬 정보를 풀 마음이 들기 시작했다.

그에게 있어 점퍼, 돌연히 나타난 홍인수는 그야말로 초자연적인 존재였다.

토네이도에 말려들어서 중력의 방향과는 상관 없이 위로 솟구치는 것도 인상 깊은 경험이다. 일반적으로는 그 경험이 인생의 마지막 기억이 될 테였으니까.

홍인수는 심장이 강철로 만들어지기라도 한 듯, 약간의 장비만 갖춘 채 그 모든 여정을 이끌었다.

수십 회 정도의 도약을 반복하며 즐거운 기억을 만들어주자 로드리게스는 기지에서 무릎을 꿇었다. 차라리 마약을 하는 것이, 마약을 했을 때에 보일 법한 경험들을 현실에서 겪는 것보다는 나은 듯이 느껴졌다.

뭐, 결과적으로 죽지도 않았고 신체에도 별다른 이상이 없다는 점에 있어서는 마약보다 건전하고 안전한 도약들이었다.

어쨌거나 그런 후유증이 없는 깔끔한 경험 후에, 로드리게스가 검은 달에 대한 내부 정보들을 토해냈고 그것을 기반으로 점퍼 조직과 연계한 다양한 단체들이 범죄 조직의 털이를 시작했다.

근거지에 대한 정보와 상세 병력도마저 풀어낸다면, 그리고 각국의 선진 병력 부대가 도입되고 소수의 점퍼들이 움직여서 내부의 혼란을 유도한다면 사상자 없이도 해낼 수 있는 일이었다.

***

*

조직에는 현재 '무버mover'가 없었지만 상당한 힘을 발휘 가능한 장정들은 있었다. 대개의 근접 전투 요원들은 근력을 필수 요소로 하니 하드한 웨이트 트레이닝에 익숙했다.

홍인수나 최길우는 개중에서도 조금 더 강한 부류였고, 브레이커라 불리는 메리 또한 힘을 보탤 수 있었다.

멕시코의 범죄 조직 청소는 밤낮을 가리지 않고 이어졌다.

말 그대로, 화약은 충분했다. 점퍼 조직이 대규모의 물리적 폭력을 활용한 소탕 작전을 벌이고자 한다면, 그저 폭탄이면 충분하다.

뇌관을 설치하고 타이머를 설정한 대량의 폭탄들. 점퍼 조직에게 언제나 기술력은 차고 넘쳤다. 물자에 있어서는 절약을 할 필요가 있었으나 초토화 작전에 돌입한다면 어차피 감수해야 할 것들이었다.

그저, 한 명 한 명이 정확한 계산을 하고 무버로서 폭탄을 옮기면 될 뿐이다. 물론 그 가운데 적의 본거지를 치는 일이니 교전이 있을 것이고, 근접 전투나 현대전에 익숙한 전투 요원들이 활용이 된다.

보호 장구 역시 정조준이 아닌 것들에 큰 피해를 입을 정도로 녹록치는 않았다.

쾅-!

하는 거대한 폭발음은 일상 생활에서 듣기엔 어려운 일이었다. 멕시코 시간으로 새벽. 남부의 숲 속 깊은 곳에 지어진 은밀한 거처에서 일어난 폭발은 영화 같은 화염을 만들어내며 터져 나갔다.

조한이 제공한 정보는 상당히 도움이 되었다. 무엇보다도, 쓸 데 없는 사상자를 만들어내지 않고 건물을 날려버리는데 말이다.

각 시간대 별로 정해진 팀이 있어서, 근거지의 조직원들은 늘 같은 자리에 위치하고, 그것을 돌아가며 반복한다. 자유로운 움직임도 물론 기지 내부에서 가능했지만, 주요한 설비나 금품, 혹은 그들의 범죄 사업의 핵심이 되는 마약류의 보관고 등은 경계를 위한 인원들이 번갈아가며 지키고는 했다.

또한 그것을 일시에 확인하는 것 역시 가능했다. 남부의 마약왕은 기술의 발전을 유감없이 사용했다. 카르텔 내부 모든 주요 근거지를 데이터화 시켜서 PC에 넣어두고, 병력들의 위치를 실시간으로 확인했다. 싸구려 GPS칩만 있으면 가능한 일이었고, 그의 카르텔의 유지를 위해 역할을 하는 중요 위치의 감시 인원들에게는 모조리 강제로 가지고 다니게 만들었다.

그리고 GPS로 확인되지 않는 방문 인원이나, 칩을 분실하거나 파손한 이들은 근거지에 비디오 센서 따위를 깔아서 데이터를 조한의 개인 PC로 보내도록 만들어 두었다.

그의 비밀번호만 있으면, 다른 PC에서도 사용이 가능한 프로그램이었다. 보통의 경우라면 그가 어떤 일이 있어도 실토하지 않을 정보였다. 그러나 그가 실제로 겪은 경험이 고통스럽다기보다도, 그것을 하고 있는 홍인수의 낌새를 보았을 때 더욱 큰 절망감이 찾아와 그랬을지 모른다. 홍인수는 그에게 맨 몸으로 우주나 토네이도의 내부를 구경시켜 주면서, 그것이 전혀 힘들어 보이지 않았다.

도리어 자신의 능력의 아주 일부를 가볍게 사용하는 것처럼 보였고, 마음만 먹는다면 얼마든지 더한 경험들을 시켜줄 수 있을 듯한 모습에 로드리게스의 마음이 무너졌다.

실상은 홍인수역시 별다를 바 없는 사람이었고, 남들보다 담이 세거나 혹은 놀라는 체를 하지 않을 수 있는 뻣뻣한 면상의 소유자였던 것 뿐이지만- 점프라는 능력을 처음 접한 로드리게스에게 그는 일견 초월적인 존재처럼 느껴지기까지 했다.

명백한 착각이었다.

어쨌든, 조한의 실토에 힘입어 점퍼 조직은 연쇄적인 폭발과 근거지의 공략을 이루어나갔다.

한 장면을 담아보자면, 브레이커의 경우가 있었다.

메리 포핀스는 기지 내의 물자 보관 창고에서 거대한 물건의 손잡이를 들었다. 폭탄이었다. 화약과, 다양한 자재, 불꽃을 키우는 유성 화합물 따위…가 치밀하게 들어가 있어서 정해진 위치에, 정해진 방향성을 가지고 제한된 폭발을 일으키는 물건이었다. 과학기술의 산물이라 할 수 있었다. 한 개의 조합물로 마음에 맞는 모양으로 건물을 재조립할 수 있다는 점에서 말이다.

메리는 완전 무장을 한 상태로 가볍게 힘을 주었다. 한 손으로 들기에는 다소 무거운 무게였으나, 그녀가 종종 사용하는 근력 제어 장치의 힘을 입었다. 그녀가 준 기색 그대로 큰 저항 없이 폭탄이 들렸다. 한 손에는 폭탄, 다른 한 손에는 기관총을 든 그녀가 곧이어 사라지고, 폐도시에 가까운 건물들 사이의 카르텔 본거지에 도착했다.

주위에는 미리 전해 들은 정보대로 아무도 없었다. 그리고 수

분 동안 아무도 없을 테였다. 건물의 내부에 설치된 폭탄은 요란한 소리와 화염을 뿜어내면서 건물을 서서히 붕괴시킬 것이다. 주요한 지점을 완벽히 날려버리고, 폭발의 범위를 정밀하게 제어해서 내부의 인원들이 바깥으로 도망칠 시간을 주는 물건이었다.

그녀는 흘깃, 주위를 둘러보며 기관총을 겨누다가 이내 사라졌다. 그녀가 있던 곳은 낡은 콘크리트에 아무런 내장재나 인테리어가 없는 지하 창고의 한 부분이었다. 건물 전체와 이어지는 두꺼운 기둥 근처에 들었던 박스형의 폭탄을 두고 그대로 다시 사라진다.

그녀가 없어지고 약 삼십 초 뒤, 검은색에 손잡이 하나만 멀뚱히 달린 박스가 장렬하게 터져 나갔다.

박스에서 시작된 불길이 사람의 육안으로는 관찰할 수 없는 속도로 뻗어 나갔다. 그 폭발력이 처음 닿은 곳은 바로 옆에 있는 건물의 본 기둥의 뿌리였고, 제한된 폭발은 그 뿌리를 정확히 날려버렸다.

근방으로 폭염이 뻗어 나가고 굉음이 나왔다. 그러나 지나치게 큰 폭발은 아니었다. 건물 내부에 있는 이들이라면 모두 느낄 정도의 소음과 진동은 되리라. 조금이라도 눈치가 있는 사람이라면 서둘러 도피를 할 것이다.

그러면 이제, 해당 작전지역에서 다소 떨어진 지역에 공군의 지원을 받아 도착한 각국의 부대들이 진을 치고 있다가 원거리 사격을 시작한다. 다소 위력을 줄인 탄들을 사용해서 정확한 제압 사격을 퍼붓는데, 기계적으로까지 보이는 준비된 사격은 상대에게 반항을 할 틈을 거의 주지 않았다.

이쪽은 유리한 위치를 잡고, 야투경 너머로 조준 사격을 하는데 비해 폭발에 떠밀려 건물로부터 우왕좌왕 나오는 조직원들은 상대의 위치도 파악하지 못할 뿐더러 그럴 경황도 없었다.

충분한 시간을 가지고 제압 사격을 하며, 인원들을 정리했다고 판단되면 서서히 거리를 좁히며 해당 근거지를 클리어한다. 이 때에 점퍼들도 합류를 해서 근접 전투에 도움을 준다. 브레이커는 적당히 각을 보면서 날뛰었다. 상대가 죽지만 않을 정도로, 뼈 정도를 마음껏 부러뜨리면서.

완전 무장을 한 상태에서 휘두르는 그녀의 팔과 다리는 해머나 다름이 없었다. 야심한 시각, 달빛이 어른거리고 총성이 울려 퍼지는 멕시코의 어느 폐도시에서 그녀는 사라졌다 나타났다를 반복하면서, 카르텔 갱들의 사지를 분쇄했다.

야투경이나 작전 지역에 대한 3D 지도를 지원하는 보조 기계가 있다면 점퍼의 전투는 아주 쉬워진다. 정확한 위치를 인식하고 곧바로 달려가서 그대로 다운 시키면 될 뿐이다.

어느 정도 점퍼로서의 전투에 익숙해지다보면, 약간의 시야의 틈 정도는 다른 감각으로 메꾸면서 연속적인 근접 전투를 이어갈 수 있었다. 브레이커 역시 그런 능력이 충분했고.

그런식으로, 멕시코 남부의 각지에서 무수한 폭발이 일어났다. 약 한 달여 간 계속된 소탕 작전이었다. 화끈하고, 깔끔했다. 사상 자도 없었고, 적군에서도 불필요한 사상자는 없었다. 정확한 위치 에 폭발력을 옮길 수 있는 점퍼가 있다면, 그리고 충분한 화력 지 원이 있다면 이런 류의 청소는 아주 용이하게 이루어질 수 있었다.

이것이야말로 점퍼 조직과 협약을 맺은 선진국들이 바라마지 않 는 전투의 양상이기도 했다. 그러나 최고의 전략 자원이 될 수 있 는 순간 이동자들이 한순간 판단력을 흐트러뜨리고, 무분별한 전투 행위를 자행한다면 무엇보다 큰 사고가 날 수도 있었다.

점퍼 조직은 독립된 조직으로서 자신들의 규율과 사상, 목적과 방향성을 늘 뚜렷이 염두에 두어야 했다. 어느 한쪽의 입장만을 듣 고 움직이기 시작한다면 그것이야말로 그들이 가장 피하고자 하는 상황이 될 테였다. 점퍼는 기본적으로 공의와 공공선, 사회질서를 위한다- 라는 게 조직에 들어오는 이들에게 전하는 기초 강령이었 다.

큰 힘을 가진 자에게 큰 힘이 따른다, 라는 어느 헐리우드 영화의 대사처럼. 그들은 초인은 아니었지만 특별한 재주를 가진 소수자들은 맞았다. 기왕 인생에 있어 능력과 시간, 그것들을 활용할 여건이 주어졌다면 타인의 행복을 위해 사용하는 것이 옳았다.

그것이, 인간답게 사는 길이었다.

그리고, 점퍼 역시 인간이었다.

*

조한 로드리게스의 실종과 남부의 패권을 잡았던 대형 카르텔, '검은 달'의 몰락은 멕시코의 패력 다툼에 변화를 만들어냈다.

진공 상태처럼 텅 빈 자리는 결국 이권을 원하는 불순한 자들이 다시 메우게 되어 있었다. 비단 작은 조직들, 검은 달의 그림자에 가려서 더 활개치지 못했던 제2, 제3의 무리들이 될 수도 있었고 혹은 다른 지역에서 활동하는 카르텔이 영향력을 더 넓힐 수도 있었다.

거대한 악, 이라고 할만했던 군벌과 같은 카르텔이 소탕되기까지 그리 긴 시간이 걸리지 않았다는 게 경악스러운 일일 뿐이었다. 휘하의 조직원들만 만 단위에 이르는 집단을 수백 명의 특전사 팀이 재빠르게 진압했다. 멕시코 정부와도 연계를 한 작전은 상공에 헬기 따위의 공군 전력을 띄워 병력을 이동시켰고, 점퍼들이 함께했다.

그 과정에서 점퍼 조직의 전투원들이 대거 투입되어 병력 이동이나 물자 이동, 작전 상의 임무 따위를 수행했다. 세계적으로 여전히 빈번하게, 아직도 다양한 사건들이 일어나고 있는 중이라 모든 요원의 JE가 총량 투입되지는 못했지만 그래도 상당량이 들어간 대규모 작전이었다.

남부의 각 도시에서 질리도록 일어난 폭발과 총성, 일방적인 제압 작전은 알게 모르게 소문으로 흘러들어 멕시코 각지의 카르텔 보스들에게도 들리게 되었다. 그들은 이것을 기회로 삼는 자들도 있었고, 혹은 두려워하고 피해야 할 경고의 메세지로 들은 자들도 있었다.

북부는 남부보다도 더욱 거칠고, 패악한 짓거리들을 자행하는 카르텔들이 난립하는 지역이었다. 남부가 거대한 조직이었던 '검은 달'의 패권 아래에 비교적 온순한-이라는 말이 범죄에 어울리는지 모르겠지만-양상을 보인 반면 북부의 치안은 더욱 살기 어려운 수준이었다.

각자의 생각을 가진 이들이 뛰쳐나오기 시작했고, 카르텔들의 집단 이동이 시작되었다. 그리고 점퍼 조직과 여러 선진국의 수뇌들은 남부의 검은 달로 이 작전을 끝낼 생각은 없었다. 대대적으로, 한 번은 청소를 해주어야겠다는 결심이었다.

언제까지고 최우선 과제가 아니라는 이유만으로 그것들을 내버려 둘 수는 없었다. 결국 지구가 하나의 공동체라면, 다른 이의 삶이 자신의 문제로까지 이어지게 된다. 눈에 보이지도 않고 아주 먼 미래의 일처럼 느껴지는 것이지만, 같은 시간대에 살아가는 인간의 문제인 것이다.

도외시한다면, 결국 둥그런 지구를 빙 돌아 자신의 뒤통수를 언제 때릴지 모른다. 일반적으로는 불가능한 일이었지만, 점퍼들이라는 특수한 능력자들- 그것도 전투에 익숙하고 담력이 강한 여러 명의 도움이 다소 주어진다면 해볼만한 일이 되기도 한다.

전 세계의 흐름은 지난 20세기의 발전을 몸살을 앓듯, 온갖 두려움과 고통을 이겨내며 달려오고 나서 한 차례 멈추어져 있었다. 여전히 어느 정도의 유지나 발전은 있었지만 지난 세기의 변화를 생각해보면 거의 동결 상태나 다름이 없었다.

이전의 변화나 급진적인 개혁에 익숙하고, 그것으로부터 자라난 세대들은 결국 다음 발전을 본능적으로 꿈꾸게 된다. 그러나 그런 목적과는 달리 나아갈 곳이 보이지 않는 세계의 정세나 발전상, 역사의 흐름은 이 시대를 살아가는 이들에게 일종의 무기력을 선사하기도 했다. 나아가야 할 열정과 몸은 있으나, 어디로 가야할 지를 알 지 못하는 것이다.

차라리 이전처럼 혼돈의 시대 속에서 뛰쳐나와 영웅이 되고자 하는, 난세를 휘어잡고자 하는 젊은이들이 있기에도 난이도가 있었다. 어느 정도 안정적이고, 어느 정도 발전상을 이룬 시대 속에서 한 명이 무언가 일을 이루기에는 어려워보인다.

그러나 이럴 때일수록, 결국 자신들의 세대의 길을 개척해야 하는 것들이 젊은 청년들의 목숨이 달린 일이었지만 누구 하나 먼저 나서지 않는다면 결국 용기를 내기 힘든 것이 사람이었다. 다른 이의 지지나 이해, 손을 꼭 붙잡고 나아갈 동료가 없다면 한 걸음 떼기도 어려운 것이 사람이라는 존재의 민낯이요, 인생의 본질인 것이다.

이 거대한 군중들의 시대는, 도시 속에서 각자가 깊은 외로움을 느끼는 세대였다.

그리고 그런 시대적인 질병과 외로움은 삶에 대한 포기를 낳고, 그것은 방탕함이나- 문란함으로 나타나기도 한다. 목적이 상실했으나 이전보다 풍요로운 세대들은 자신들의 삶을 쓰레기통에 버리고는 한다.

그러한 일례로 나타나는 것이 전 세계적인, 청년층들의 마약 섭취에 관한 유행이었다. 결국 한 나라의 국운이 져가는 때에 온갖 국민들이 마약에 취해서 삶을 포기하는 모습이 보이는 것처럼, 미래에 대한 꿈이 없는 인생들이 적당히 자신의 삶을 구덩이에 던지듯 살아가는 것이다.

이러한 답없는 마약의 향유 끝에 남는 것은 별로 없다. 그리고 그런 세대에 제동을 걸기 위한 것이, 거대한 마약의 생산지이자 유통지인 남미의 청소이기도 했다. 결국 전 세계적인 흐름을 한 번에 바꾸기는 힘들었지만 중요한 요충지 하나를 정리한다는게, 의미가 있기는 할 것이다.

멕시코를 시작으로 점퍼와- 점퍼 조직과 연이 닿은 선진국들의 일부 단체들은 그러한 일을 열심히 했다.

지긋지긋한 것들과 싸우고 뿌리를 뽑아내는 건 한 사람이 나쁜 습관을 개선하고 건전하게 운동을 하고, 안정적인 생활의 패턴으로 돌아가는 것만큼이나 의미가 있는 일이었다.

그러한 전 세계적인 관점에서의 방구석 청소- 곧 멕시코 카르텔의 소탕이 길게 이어졌다. 멕시코는 곧 전초전이었고, 이후에 여건이 되는대로 남미 전체를 한 번 돈 뒤에 아프리카 대륙 쪽으로도 넘어가서 일을 벌일 계획이었다.

*

북부에 있는 중형 카르텔의 보스, 후안 호아레스 로드리게스는 '조한'의 형제였다. 아버지가 같은 이복 형제였으며, 전대 남미 범죄 조직에서 걸출하게 활동을 했던 갱을 아버지로 둔 이들이다. 원래는 북부를 근거지로 삼은 것이 그들 가문의 내력이었으나 형인 '조한'은 기반을 동생에게 넘기고 남부로 내려가서 자신의 입지를 다졌다.

범죄를 저지르고 세력을 키우는 일에 입지를 다지고, 개척하는 일이라는 말이 올바른 용어인지는 모르지만- 어쨌든 그런 관점에서 보자면 후안에게 조한은 나름대로 형 다운 면이 있는 사내였다.

30대 중반을 넘어서는 후안의 인생에 있어서, 본 지도 아주 오래된 조한이 그리 애틋한 관계는 아니었지만 적어도 그가 이끌던 집단의 변화에 민감하게 반응을 할 정도는 되었다. 조한이라는 사내의 변고에 자신의 행동을 결정한 건 무수한 보스들 중에서 후안이 먼저였다.

남부 카르텔 세력에 거대한 공백이 생겼다는 소식을 전해 들은

246

그는 누구보다 빠르고 과감하게 움직이고자 했다. 조한이 어떻게 움직이는가, 에 대해서는 그 역시 대강 아는 것들이 있었다. 북부에서도 남부 카르텔과 연을 맺고 같이 움직일 때 조한의 덕을 본 적도 있었고. 그들이 갖고 있는 마약 공장이나 근거지의 위치도 아예 모르지 않았다 재빠르게 움직이고 '검은 달'이 차지하던 자리를 선점한다면 그들 조직의 위상을 높일 수 있는 기회일지 모른다.

후안은 직접 부하들을 이끌고, 즉 사병대와 같은 병력을 이끌고 멕시코 남부로 이동했다. 아니, 정확히 말하자면 이동하려 했다. 북부에서 가까운 근거지부터 차례대로 침략해서 남은 자원이 있다면 털어 먹을 생각이었는데…. 뜻하지 않은 괴인의 방문을 받아야만 했다.

"Hello, Juan! I'm the friend of your older brother!"

어딘가 미래적으로 보이는 풀페이스 헬멧. 유리막 너머로 보이는 흰칠한 동양인 사내. 두텁고 검은 가죽 장갑을 끼고, 총을 든 채로 나타난 양복쟁이의 모습이었다. 동화 속에 튀어나온다고 해도 어딘가 이질감이 느껴질 정도로 괴상한 일이었다. 그가 그의 거처 집무실에서 부하들을 호출하려다가 문득 고개를 든 순간, 모르는 사내가 그의 앞에 있었다.

집무실의 창 뒤로 따사로운 멕시코의 햇살이 그의 등을 덮히고 있었다. 눈앞에 나타난 사내의 웃음이 후안에게 왜인지 불길한 예감을 선사했다.

아니, 정확히는 그가 들고 있는 장전된 MP5로부터 기인한 불안감일지 몰랐다.

　　　***

쾅!

하는 소리가 들렸다.

갑자기 일어난 소음이다. 여느 때와 다를 것 없이, 거리를 걷던 민서는 수정과 같이 있었다. 사이 좋게, 나란히 길을 걸으며 평소처럼 식사를 하고- 차를 마시고 하던 중이었다. 원래는 둘 다 돈이라곤 궁한 처지였지만, 최근에는 민서가 취업 비스무레한 걸 하게 되어서 식비 정도는 신경 쓰지 않아도 되게 되었다…

그러나 그런 게 중요한 게 아니었다. 민서는 다시 정신을 차렸다. 빌딩들이 늘어선 번화가였다. 그들은 서울 중심부의 한 대로를 걷고 있었다. 넓은 차선에 차들이 여러 방향으로 달리고 있고, 언제나와 같이 일을 하는 사람들, 혹은 그 중간에 바깥으로 나선 이들이 거리를 채우고 있었다.

가로수가 단풍이 져서 제법 가을의 운치를 뽐내고 있었고…. 한국이라는 나라는 원래 저런 소리가 잘 나지 않는 공간이었다. 실제로 전쟁이라도 나지 않는 이상, 이 편집증적인 국민성과 높은 치안은 테러라는 말과는 다소 거리가 있는 나라를 만들었다. 북한이라는 거대한 위기에 리스크가 편중되어 있어서 다른 소란이 적은 걸지도 몰랐다.

그러나 그런 상식이 깨지듯이 한낮의 대로변에서 들은 폭발음에 민서는 기겁을 했다.

물론 기겁한 속마음에 반해 움직임은 극도로 적어졌다. 위기 상황에서 그는 보통 행동을 멈추고 주변을 살핀다. 그의 곁에 보호해야 할 대상, 아는 사람이 있다면 그를 중심으로 정보를 모으고 상황을 파악하기 위해 애를 썼다.

한 빌딩에서 굉음이 터져 나왔고, 그 잔해가 거짓말처럼 허공에 흩뿌려졌다. 청명한 가을 하늘과 대비되는 광경이었다. 민서는 거짓말이거나, 영화의 한 장면을 떠올렸다. 사실이 아니었다. 눈앞에 있는 장면이 사실이었고, 그가 떠올린 거짓말이나 영화라는 가능성이 사실이 아닌 쪽이었다.

빌딩의 잔해는 유리조각, 건물의 내장재나 외장재, 그 안의 가구 따위가 포함된다. 부스러기처럼 흩날리는 것도 있었고, 덩어리를 유지한 채 인도에 닿는 것들도 있었다. 쿵! 하고 목재 가구의 일부가 도로 바닥을 깨뜨렸다. 민서가 다닐 때 언제나 깔끔하게 유지되던 보도 블럭은 한 번에 수명을 다했다.

사람들이 비명을 지르는 것 같았다. 귀를 찌르는 여성의 고음이 먼저 들린다. 건물 내부에서도 소란이 이는 것 같았다. 그리 높은 층은 아니었다. 한- 7, 8층 정도. 주변에 있는 고층 빌딩들에 비하면 가장 높은 자리는 아니었다. 사람들이 동시 다발적으로 소란을 시작한다.

우왕좌왕, 하며 어찌할 바를 모르는 이들을 비웃듯이 하늘에서 무언가가 날고 있었다. 헬기-라고 하기에는 너무 얇은 몸체에 빈약한 구조를 지닌 기계였다. 차라리 드론을 거대하게 키워 놓았다고 하는 게 말이 되어 보였다. 나름의 양력을 지니고 부유하는 민서로서는 본 적이 없는, 시중에서는 볼 일이 없어 보이는 검은 색의 기계가 네 개의 프로펠러를 돌리며 시내의 공중을 유영했다.

그 기계에 하부에 한 사람이 매달려 있었다. 아마 그 스스로가 그곳에 매달린 것일 테였다. 웅웅웅, 하고 시끄럽게 들리는 프로펠러의 소리는 사람들의 소란과 차들의 경적, 폭발 때문에 먹먹한 귀 때문에 제대로 전해지지는 않았다.

자세히는 보이지 않았으나 나이대가 제법 있어 보이는 남자였다. 시야의 외곽에서 기이한 것이 움직인다고 느낀 순간 폭발음이 들렸고, 그가 정신을 제대로 차리지 못하도록 시끄러운 소란이 일었다. 차분하게 기억을 더듬어보면, 저 위에 있는 남자가 저 드론-비스무레한 것을 타고 날아와 무언가 빌딩의 유리창으로 던졌다.

그것이 폭발하면서 낸 소음과 사고였다.

악의적인 테러에 가까운 짓이었다. 그리고 한국의 치안 병력과 군대는 이런 행동을 용납하지 않는다. 남한의 소란은 곧 적성 단체인 북한에게 틈을 주는 것이나 다름이 없었다. 휴전 중이라고 하지만, 정전이 아닌 휴전이었다. 집 내부의 과도한 소란에 여력을 빼앗기면 결국 전선 이북의 이리가 다른 생각을 품을지도 모른다.

결국 한국 내부의 치안이란 대한민국이라는 고도화된 공업 국가의 총력이 아낌없이 투입되어 지켜야만 하는 일종의 마지노선이었다.

이런 종류의 대담한 짓거리가 가능할 정도의 빈틈이 어디로부터 나왔는가. 민서는 자연스레 점퍼 조직의 사고방식을 갖게 되었다. 알리바이도, 증거도 없는, 일반적으로 불가능한 미제 사건에 점퍼의 능력을 대입했을 때 풀린다면 그건 다른 점퍼가 개입했을 가능성이 있는 일이었다.

민서는 저 사내가 자신이 몸담은 조직이 특별히 추적해야 할 적이라고, 느꼈다. 그는 일단 늘 품에 넣고 다니는 통신기에 손을 옮겼다. 바지 주머니나, 겉옷의 안주머니에 넣어 두고는 하는 폴더폰 모양의 물건이었다. 실제 전화나 문자도 가능하다. 외부에 있는 버튼을 누르기만 해도, 세계 어디에서나 조직의 대기 인원에게 알림이 가게 되어 있었다.

점프 능력이 없는 점퍼 요원으로서 조직의 중요인의 일원인 민서는, 이런 식으로 도움을 요청하면 곧바로 통신기 내부에 있는 GPS의 위치로 전투 요원이 구조를 오게 된다.

지금 조직의 기지 내에 있다가 비번으로, 뛰쳐나온 인원은 '쉴더'인 야가미 소우타였다. 민서로서는 많은 합을 맞춰보고 또 신뢰가 가는 인물이다.

길다란 체형에 브라운 계열의 더벅머리. 그는 다급해 보이는 얼굴로 민서의 앞에 떡하니 나타났다. 정말로 비상 사태이거나, 한시를 낭비할 수 없는 현장에서 점퍼들은 때로 대놓고 도약을 하기도 한다.

어차피 주변 사람들이 패닉에 빠지고 정신적인 트라우마를 겪지 않을까 싶은 현장에서는, 아무런 전조나 소음도 없다시피 사라지고 나타나는 점퍼의 움직임 따위 눈에 들어오지도 않는다. 제대로 한 곳을 처다보고 집중하며, 관찰하는 시야는 거의 없는 것이다. 설령 있다고 하더라도 둘러대면 될 뿐이었고.

소란스러운 서울의 사건 현장에서 그는 대충 걸쳐 입은 두터운 재킷이나 작업용 바지를 입고 있었다. 별 것 아니어 보여도, 아마 어떤 일이 벌어질지 모르는 곳에 오기 위해 갈아입은 최첨단 소재의 방탄 피복이었다. 방검 기능도 겸하고, 방화에도 어느 정도 효과가 있었다. 방한의 경우에는, 생긴 것 정도의 따뜻함만을 제공한다.

급한대로 바지춤에 챙긴 자동권총 정도가 현재 야가미가 가진 무장이었다.

야가미는 민서와 수정의 상태를 보며 곧장 말을 물어 왔다. 애초에 그들의 바로 곁에 나타났으니 시야를 회복하고 바로 안색을 살핀 뒤 묻는 말이었다.

"괜찮습니까?"

힐끗, 하고 순식간에 주변을 둘러 본 야가미였다.

"뭐라도 터진 모양이네요. 안 그래도 서울 쪽에서 연락이 있었습니다. 마침 연결이 되어있던 쪽에서 사건 소식을 파악했고 저희 쪽으로 정보가 넘어온 참이었습니다. 제대로 파악이 안되어서 시간이 걸리려던 차에 통신이 있었고요."

"아니… 저기."

민서가 바라보는 허공에는 여전히 프로펠러와 함께 허공에 멈추어 있는 인형이 있었다. 멀어서 그 안색이나 표정을 살필 수는 없었다. 사내는 무언가를 더 하려는 것 같지는 않았다. 악의를 제대로 품고자 하면, 저 위치에서 총탄이라도 난사를 해볼 수 있을 것이다. 한국 사회에서 그 정도의 테러라면 대대적인 사건이었다.

야가미 역시 사내를 확인했다. 이상한 낌새 역시 느꼈다. 한국에 저런 모습은 이상하다. 저런 기계가 있다고 치더라도, 그것을 국내에 들여오고 사용해서 저 위치까지 다다르도록 아무런 제제가 없다? 넌센스 같은 일이었다. 물론 한 번은 실행할 수 있을지 모른다.

기계 부품을 확인할 수 없을 정도로 분해한 뒤 근처 빌딩으로 옮겨서 대대적으로 조립을 한다, 그리고 화약 따위를 어찌 저찌 옮겨서 시도해 볼 수 있을 것이다. 몇 번의 행운이나 기가 막힌 도움과 협업이 있다면 혹시 모른다.

그러나 그 이후에 저런 일을 벌인 자가 무사하게 도망칠 수 있을 리 없었다. 한국 땅의 치안력의 핵심은, 이 좁은 땅덩어리를 샅샅이 수색할 만한 인력이 있다는 점이었다. 저 따위 프로펠러로 어딘가 제대로 도망칠 수는 없다. 이 도시에 당장 배치된 무장된 공권력 아래의 병력들이 다 허수아비들도 아니었고.

당장 사고가 나자 연락이 갔고, 근처 지부에서 경찰 병력들이 당장 움직이고 있었다. 사태가 저 사내 혼자로 인해 벌어진 것이라면 금방 잡힐 것이다. 그러나 사내의 행태가 묘하게 여유로워 보이는 것이 야가미에게 위화감을 주었다. 그의 상식선에서, 제대로 파악되지 않는다면 가장 먼저 떠올리는 건 결국 점퍼의 존재였다.

미치광이 점퍼가, 충분한 자원적 지원을 해줄 수 있는 뒷 세계의 집단과 공조를 한다면 혹시 모른다. 그는 불길한 예감이 맞지 않기를 바랐지만 그의 바람은 이루어지지 않았다.

수정은 의외로 갑작스러운 사태에 큰 변화를 일으키거나 패닉에 빠지지는 않았다. 무서움이 없는 건 아닌 것 같았으나, 옆에 누군가가 있다는 사실이 그녀에게 위로라도 되는지 도리어 조용하게 있어 보호자의 입장에서는 편안했다.

평소라면 시끄럽도록 말을 걸면서 민서를 가만두지 않았을 그녀였지만 도리어 이상할 정도로 조용한 것이, 내면적인 당황이나 놀라움을 반증하고 있는 듯도 했다.

야가미는 일단 그런 두 사람의 어깨에 손을 올렸다. 상황이 급박해지면 곧바로 도약을 할 셈이었다. 세 명이 동시에 사라진다면 눈에 띌 수는 있겠지만, 그것이 부상이나 사망의 위험보다는 나았다.

그리고 천천히 사람들의 시야가 닿지 않는 사각으로 조금씩 움직였다. 상황의 마무리를 위해서 야가미 역시 힘을 써야겠지만 일단 동료를 옮겨놓고 다시 와서 해도 늦지는 않아 보였다. 추가적인 테러의 낌새는 아직 느껴지지 않는다.

허공에 떠 있는 사내는 사람들을 비웃듯이 움직였다. 그의 표정은 보이지 않았지만, 이따위 일을 자행한 자가 가만히 있는 모습 자체가 그런 의도를 표현하는 듯하다.

그리고 야가미가 현장의 동태를 살피며 멈춰 서 있는 어느 버스의 뒤편으로 움직일 때, 그보다 먼저 허공의 사내가 사라졌다. 후욱, 하는 기묘한 소리와 감각은 한참을 떨어져 있었으나 왜인지 감지가 되는 것도 같았다. JE의 변화는 일반적인 물리 법칙에서 약간 동떨어진 것이었다. 그것을 이해하고 감지하는 순간, 환청처럼 근처에서 느껴지는 듯 들리기도 한다.

이러한 류의 기능 변화의 극점에 있는 것이 '옌'의 레이더로서의 능력일 지도 모른다.

JE가 움직였다. 그리고 허공에 떠 있던 사내가 사라졌다.

사람들이, 패닉에 가까운 상태 속에서 다시금 짧은 비명을 지르는 듯도 했다. 그들이 집중하고 있던 건 결국 허공에 있던 정체불명의 인간이었다. 그가 대놓고 사라지자, 이번에는 점퍼 조직의 요원들이 현장에서 뻔뻔하게 도약을 하던 때와는 다른 반응이 보였다.

시민들이 집중하고 있는 가운데 그가 도약을 해버린 것이다. 이 정도 수에게 저렇게 감지가 된다면 변명을 떠올리기도 마땅찮다. 디지털 기계에 기록이 되지 않더라도, 집단 환각 같은 초자연적인 일이 벌어지지 않는다면 다수의 목격자의 말은 결국 무엇보다 뚜렷한 증거가 된다.

그리고 사람들에게 불행한 일은 그 다음에 연이어 벌어졌다. 남자가 사라지고, 프로펠러가 돌아가고 있는 기계가 남았다. 초대형 드론처럼 생겼고, 사람을 부양할만큼 큰 크기의 기체가 허공을 맴돈다.

어떤 종류의 조작법인지는 모르겠으나, 그것에 달려 있던 인형이 사라지자 기계는 불안하게 허공을 선회했다. 기어코 주인을 잃은 그것이 아무 곳으로나 추락한다. 아래에서 바라보던 사람들이 다시금 소리를 질렀다.

"꺄악!"

하고, 높은 톤의 소리가 가장 먼저 울리고 들린다. 사건이 일어나고 그리 오랜 시간이 지나지 않았다. 소방서나 경찰서의 인원들이 근처 지부에서 오기까지도 약간은 텀이 필요했다. 야가미는 속으로 비명처럼 욕을 했다.

대형 드론은 크기로 미루어 볼 때 그 무게가 수십 kg 단위의 것으로 보였다. 거기에 처음에 던진 것처럼 화약류의 장치가 포함되어 있다면 대형 사고가 다시 한 번 일어날 수 있었다. 빌딩에서 난 피해는 사람들에게 놀람을 선사했지만 실질적인 인명 피해는 그리 커 보이지 않았다. 그러나 종류에 따라서 저 물건의 추락은 꽤나 거대한 규모의 재해가 될 수 있어 보인다.

어떻게 해야 하는가, 추락하는 기계를 바라보며 한낮의 오후, 야가미는 고민에 휩싸였다. 빠른 판단만이 현장에서의 생명을 살릴 수 있었다. 그 자신을 포함해서, 타인들의 생명까지 말이다.

그는 재빠르게 움직이는 대상을 저격하듯한 핀포인트 점프에는 그다지 소질이 없었다. 그러나 그럼에도, 저 기체의 근처에 다가가서 일단은 손을 대어야 했다. 일시적으로라도 그의 근력으로 기계를 지탱했다, 고 판정이 된다면 점프로 저것을 한 번에 옮길 수 있었다.

무버의 조건이었다. 자신의 힘으로 어떤 것을 드는 것 말이다. 보통은 손을 사용해 물건을 들어야 한다.

짐을 옮길 때는 가장 높은 무게를 옮길 수 있는 데드 리프트의 자세를 보통 이용한다. 바닥에 둔 것을 잠깐만 들어도, 점퍼가 그것을 옮긴 것으로 인식해서 도약지로 물건과 함께 이동할 수 있었다.

저 기체를 그렇게 할 수 있을진 잘 모르겠지만, 야가미도 야가미 나름대로 목숨을 걸고 움직여야 했다. 수많은 무작위의 사람들이 죽거나 다치는 것보다는, 그래도 그가 할 수 있는 일에 조금이라도 사활을 걸어보는게 나은 선택처럼 느껴졌다.

야가미가 무질서하게 움직이며 추락하는 검은 기체의, 원래 사람이 매달리며 잡고 있던 하부의 손잡이께를 조준하며 도약을 준비했다. 쉽사리 한 번에 되지는 않았다. 주변 상황 역시 신경이 쓰이는 부분이기도 했고. 결국 다른 이들이 모두 목격하는 자리에서 점퍼로서 자신을 드러내는 것 역시 부담이 가는 일이었다.

결국, 점퍼 조직과 그 전통에 따른 비밀주의를 자신의 손으로 이렇게 깨고야 마는가. 물론 그것이 생명보다 앞서는 절대원칙 따위는 아니었다. 가급적이면, 사회적 혼란과 그것을 무마하는데 드는 비용을 생각해 가급적이면 지키자는 것이었지. 그러나 그것을 자신의 손으로 할 생각은 평소에 하지 않았는데.

그렇게 야가미가 마음을 먹고 점프를 준비하는 가운데, 먼저 움직이는 이가 있었다. 도약에는 전조가 있다. 야가미와 민서는 그들이 있는 현장 근처에서 누군가 JE를 발동하는 기척을 느꼈다. 이 정도라면 눈으로 분명 보이는 공간이었다.

그리고, 야가미와 마찬가지로 비번으로 휴식을 가지다가 서울의 사태 때문에 호출을 당한 점퍼가 마침 있었다. 야가미와는 따로 지시를 받고 움직였기에 그가 눈치채지 못했다. 같은 장소의, 인적 없는 골목에 도착을 했다가 기체의 이상을 발견하고 도약을 시도한 점퍼는 '메리'였다.

그녀의 코드 네임은 브레이커였고, 그 별명의 유래는 그녀가 발휘 가능한 괴력으로부터 기인한다.

메리는 완전한 무장 상태였다. 그 때문에 조금 늦은 것도 있었다.

야가미가 움직이기 전에 그녀가 먼저 도약을 했고, 기체의 아래에 갑자기 나타났다. 사람들의 시선을 신경쓰기보다 추락을 막는 것이 우선이었다. 정말로 무슨 헬기 따위의 추락이라면, 점퍼라고 해도 할 수 있는 일이 없었지만 얇은 몸체에 사람이 들 수 있어 보이는 무게의 물건이라면, 어떤 위치에 있던 점퍼가 그래도 시도해 볼 수 있는 게 있었다.

일시적으로 몸의 근력으로 그 무게를 감당할 수 있다면, 그 순간을 점프의 타이밍과 맞출 수 있다면, 공중에서의 도약도 가능할 테다.

브레이커는 골목에서 먼저 도약을 했다. 기체는 대로변의 건물들 사이, 약 이십 미터 쯤의 상공을 부유하다가 이리저리 방향을 비틀며 천천히 아래로 내려온다. 프로펠러는 계속 돌아가며 난수처럼 그 방향을 바꾸어대고 있었다.

브레이커는 그래도 나름대로, 점프의 정밀도가 높은 편이었다. 저 정도의 속력에 눈에 보이는 자리라면 충분히 가능하다. 메리가 골목에서 사라지고, 기계의 아래 부분에 모습을 드러낸다. 정확하게 먼저 있던 사내가 손으로 쥐고서 안정적으로 자신을 지탱하던 손잡이가 있는 부분이었다.

그녀는 그대로 손잡이를 쥐었다. 그대로 온 몸에, 그녀의 근력을 일순간 증폭시켜주는 기계를 발동시켰다. 그녀가 일정한 행동을 하거나, 근육을 긴장하고 움직일 때마다 자연스럽게 기계가 움직인다. 아주 예민한 것이었고, 익숙치 않는다면 도저히 움직임을 조절하기 힘든 장치이다.

그녀는 공중에서 자연스럽게 힘을 주었고 기계를 발동시켰다. 두 손으로 어깨 정도 너비의 손잡이를 쥔 채, 검은 대형 드론을 아래 방향으로 길게 휘둘렀다. 그야말로, 휘두르는 것처럼 움직였다.

보통 공중에서 지지대도 없이 그만한 물리력의 물체를 움직인다면 도리어 몸이 끌려갈 것이었다. 그러나 그래도 상관없었다. 아주 일시적으로 그사이 틈에 그녀가 그 물건의 무게를 지탱한 것이 된다면.

반원 형태로 그녀는 그대로 팔을 끌어내렸다.

전방으로 휘둘러지는 양팔의 방향대로 대형 드론이 움직인다. 그녀는 자유낙하보다 약간 나은 처지였다. 방향이 흔들리는 드론과, 그것에 달린 프로펠러가 메리와 드론이 의지하는 양력의 전부였다.

고작 공중 십 수미터의 위치에서 위태로운 곡예를 보인다. 곡예보다도, 사고에 가깝다. 그녀가 점프 능력이 없었다면 아마 확실히 목숨을 잃었을 정도의 상황이었다. 그리고 현재는, 점프 능력이 있더라도 타이밍이 맞지 않으면 거리를 지나는 수 많은 사람들이 더 휘말릴 수도 있는 위태로운 순간이었다.

"으득."

메리는 이를 악물었다. 그녀의 팔다리에서 신호를 받아 움직이는 기계가 수 초마다 새롭게 작동했다. 뼈나 근골이 단단해지는 것은 아니다. 그것을 위해서는 타고난 강한 신체가 있어야 했다. 그녀는 다행히도, 그런 체조직을 타고 난 편이다. 운동 선수를 했다면 탁월한 수준에 이르렀을 것이다.

그리고 운동 역학을 잘 이해하는 머리나 재빠른 움직임도 중요했다. 그녀는 억지로 주어지는 힘, 관성 따위에 저항하지 않았다. 공중에서 춤을 추듯 그대로 프로펠러의 힘이나 중력 따위에 적응하며 공중제비를 돌듯 움직였다.

그저 힘을 사용하고 몸을 추로 삼아서 기계의 방향만 조금 바꾸는 것이다. 지상이나 어딘가에 닿기 전에 한 순간만 그녀가 조작할 수 있다면 된다.

공중에서 대회전을 하듯이, 프로펠러가 달린 드론의 손잡이를 잡은 그녀의 팔이 아래로 주욱 내려갔다. 그녀의 하체가 유연하게 접어들며 움직임에 따라 돈다. 물 속에서 유영을 하는 것과도 비슷했다.

대류의 흐름은 아찔하다. 서울 한복판의 거리에서 보이기에는 지나치게 수준 높은 기예였다. 어떤 서커스도 이런 위험 부담을 안고 하지는 않는다. 이건 실제 사고의 상황이었다.

빌딩들 사이에서 메리는 정신을 다잡기 위해서 노력했다. 조금만 긴장을 늦추고 힘이 풀려도 대형 사고로 이어진다. 그녀는 점퍼로서, 조직의 일원으로서, 자신의 사명감을 되새겼다.

그대로 몸이 회전한다. 그녀의 머리 위에 있는 프로펠러는 그녀의 움직임과 순간적으로 주어지는 막강한 힘에 따라 방향을 바꾸어 같이 돌았다. 드론이 거꾸로 뒤집혀 그녀의 아래에 있었고, 그녀는 그대로 관성을 이용해 몸을 계속 돌린다.

드론은 그에 맞추어 다시 떠올랐다. 그렇게 크게 한 바퀴를 접어 도는 동안 드론의 고도가 많이 낮아졌다. 아래에서 현재 벌어지는 일들에 인지가 늦는 이들이나, 다가오는 위압감에 비명을 지르는 이들이 공존했다. 영화보다도 더 믿기 힘든 장면들의 연속이었다. 올림픽의 금메달리스트가 자신의 신체 능력을 모조리 활용해서 액션 무비를 찍으면 이런 영상이 담길까.

드론이 한 바퀴를 돌아 다시 떠오른다. 중력의 역방향이었고, 일시적으로 손잡이를 잡고 있는 메리가 드론의 무게를 감당하고 컨트롤하는 순간이 있었다. 그녀의 사지에 작용하는 신경 신호를 이용한 괴력의 기계가 동시에 작동했고,

동물적이라 할만한 것 이상의 감각으로 그 타이밍을 캐치해낸 메리가 정확하게 점프를 발현했다.

후욱, 하고 그녀가 허공에서 사라졌다. 수십 kg의 무게를 자랑하는 길쭉하고, 뭐가 붙어있을지 모르는 대형 드론도 함께였다.

사람들은 마치 꿈을 꾸는 것처럼 느꼈다. 이게 일어날 수 있는 일인가, 와 눈 앞에서 본 것의 현실감이 머리에서 괴리를 일으킨다.

서울 시내에서 도로변에 있는 수십 명, 혹은 그 이상의 목격자들이 동시에 꿈을 꾼 게 아니라면 그들이 바라본 일은 현실이 맞았다.

"후우……."

야가미는 참았던 숨을 길게 토해냈다. 일단 메리가 해결했다는 안도감과, 이 일 이후에 벌어질 지 모르는 사태들에 대한 예감과

뒷감당을 동시에 떠올린 탓이었다.

민서는, 일단 살았다는 생각에 마음을 놓았다. 그리고 곁에 있는 수정 역시 그러했고, 다른 이들을 향한 위협도 일단 사라졌다는 사실에 감사했다.

대낮의 서울. 갑작스럽게 일어난 테러에 가까운, 아니 이미 벌어진 테러 행각은 현대의 한국 사회에 큰 충격을 주었다.

그와 같이 벌어진 믿을 수 없는 현상들 역시도.

***

점퍼,

라는 영화가 있었다.

영어로 쓰면 Jumper가 된다.

동명의 영미권의 소설 역시 있었다. 소설을 원작으로, 미국 쪽에서 영화가 만들어져 많은 사람들이 보게 된 것으로 알고 있었다.

2000년대 중반인가… 무렵의 창작품으로, 많은 대중들이 공유하기에 적합한 그런 단어와 개념, 상상의 창작물이 먼저 있었다.

하나의 사건이나 무형의 일에 새롭게 이름을 붙이려 할 때는, 그런 공유가 쉬운 정보가 있다면 편리하다. 사람들은 어느 날 대낮, 시내 한복판에서 목격한 대대적인 사건에 대해 입에서 입으로 많은 이야기들을 전했다.

거짓말처럼 디지털 기기로 남은 흔적은 아무것도 없었다. 점퍼 조직이 이상을 파악하자마자, 내부적으로 한국의 치안 조직과 연계를 해서 벌인 일이었다.

단순히 치안 조직의 협력만으로 가능한 수준의 일은 아니었고, 조직에서 활용 가능한 국소 범위의 디지털 재밍 장치의 사용 허가를 받은 것이었다.

그러나 수많은 이들이 동시에 목격한 현상은 그 자체로 뚜렷한 증거이자 부정할 수 없는 존재감이었다.

그로 인해 메리와 정체 불명의 사내 등이 대놓고 시민들의 집중 속에서 도약을 한 일이 더 이상 감출 수 없는 수준이 되어버렸다. 순간이동이라는 현상을 빼놓고 설명한다고 해도, 많은 사람들이 알 수 밖에 없는 일이었다. 갑작스러운 테러는 한국 사회에 큰 충격을 주었다. 그런 일이 가능하다는 것 자체가 여태까지의 삶에 대해 새로운 인식을 갖게 하는 일이기도 했다.

다행스럽게도 사회의 혼란은 일정 이상 커지지는 않았다. 점퍼 조직과 한국 정부는 특히나 공고한 연계를 맺고 있는 조직과 단체였다. 최초의 점퍼 조직 창설 이후, 수 많은 인원들이 한국인이기도 했고- 동아시아와 한국 정부는 점퍼 조직의 가장 오랜 협력자이자 동료였다.

대한민국 정부와 치안, 군사력이 제어하지 못한 서울 시내의 테러 사건에 대해서 다행히 북한은 큰 반응을 보이지 않았다. 사회적 혼란이 가중되고 불안감이 치솟을 때, 그리고 그로 인해서 공권력으로 움직이는 군사력이 소모되고 허점이 생길 때 적성 단체가 선부른 움직임을 보일 수도 있었는데, 그러지는 않았다.

어쨌든 남한 내부적으로 이러한 사건에 대해서 몸살을 앓듯 납득하고, 국민들을 이해시키고, 방비를 하고 넘어가야 했다.

실제의 이름은 그것이 아니었지만, 그날의 목격자들로부터 전해지는 이야기로 인해 인터넷 상에서나- 민간에서는 그 날의 테러 사건과 현상들을 '서울 점퍼 사건'이라는 이름으로 부르게 되었다.

10월의 어느 날, 대한민국의 서울에서 일어난 그 일은 제법 커다란 반향을 일으켰다. 그 자체로 어떤 현상이 밝혀지고, 추가적인 사태나 움직임이 벌어지지는 않았지만. 적어도 사람들의 인식 속에 새로운 사실이나 정보가 각인된 것은 현실이었다.

그리고 그 현실은 여태까지 세계 정세의 흐름 속에서 활약해 오며 명맥을 이어 온 '점퍼 조직'이 고스란히 감당해야 하는 현실이었다.

그저 마냥 얼버무리기는 언제나 한계가 있는 법이었다. 당장 전국적인 움직임이 일어나고 있지는 않았지만 이렇게 드러난 이상 시간 문제일 뿐이었다. 점퍼 조직은, 앞으로의 일에 대해 다양한 임무를 해내면서도 머리를 쥐어 싸매고 고민을 해야 했다.

정확하게는 수족이 되는 요원들보다는, 수뇌부의 고민이었다.

홍인수는 자신이 그런 류의 고민을 해야 하는 위치에 슬슬 서게 되는 것에 상당한 불만이었다.

*

"후-."

소드마스터가 한숨을 내쉬었다.

이것이 중세풍의 컨셉을 차용한 판타지 소설이었다면 머릿속에서 그려질만한, 운치가 있는 장면일 테였다.

그러나 점퍼의 무대는 현실이었고 홍인수는 멋들어진 갑옷이나 전설의 무구도 없었다. 그는 특수한 재능을 갖고 기술을 연마한 평범한 사람이었다. 그것이 회의나, 조직을 운영하거나, 앞으로의 계획을 구체적으로 짜야 하는 분야로 간다면 그다지 특별하지도 않았다.

나이에 걸맞지 않은 수많은 경험과 담력, 배짱이나 기지로 어느 정도 이상의 성과는 낼 수 있었지만 그가 남다른 천재인 것도 아니었다. 물론 몸을 쓰는 일이나 점프 능력과 관련한 다양한 분야에서는 천재라고 할 만한 게 사실이었지만.

그 혼자서 있다고 한다면 조직의 운영같은 건 꿈도 꾸지 못할 일이었음에 분명했다. 당장 그가 커맨더의 자리에 오르고 주변에 보좌할 아무 인원도 없다면 한 삼십분이 지나지 않아서 조직 운영에 문제가 생기기 시작하리라.

"머리 쓰려니 고생이 많겠군."

그는 깨나 긴 회의의 쉬는 시간에 잠시 회의실을 벗어나 휴게실에서 쉬는 중이었다. 담배는 태우지 않았지만 마실 것이나 잠깐 숨돌릴 여유 정도가 간절했다.

휴게실은 홍인수가 김민서를 처음 기지 건물에 데려 와 이런저런 설명을 늘어놓던 공간이었다. 늘 들러서 마실 수 있도록 음료나 약간의 다과가 정리되어 있었다.

홍인수는 항상 구비되어 있는 매실 음료를 마시며 의자에 앉아 있던 중이었고.

조직의 커맨더가 그를 찾아와 말을 건 참이었다.

커맨더는 중후한 느낌을 풍기는 중년, 혹은 장년으로 넘어가는 나잇대의 남성이었다. 점퍼 요원이라면 익숙하게 자주 보고는 하는 얼굴이다. 어쨌건 중요 임무나 그에 관련한 브리핑은 사령관이 직접 하는 경우가 많았다.

조직은 공고하게 운영되는 소규모 용병대에 가까웠다. 비점퍼 요원들과 협력 단체의 인원들까지 합한다면 순식간에 말도 안되는 규모로 불어나기는 하지만. 그래도 적어도 능력자 인원들간의 긴밀한 유대감과 커뮤니케이션은 조직의 기동성을 위해 아주 중요한 것이었다. 이래저래, 가족적인 느낌마저 있었다. 기지에서 오래도록

보는 사이들 중에서는 말이다.

"말도 마십시오. 단순하게 총이나 들고 현장이나 뛰어 다니는게 낫지, 까딱 잘못하면 현장 인원들이 고스란히 덤터기를 쓰는 일들을 무슨 배짱으로 하라는 말입니까 저더러."

조직의 수뇌부는 뛰어난 인간이어야 했다. 리더란 그런 자리였다. 그래도 결국은 특별한 인간이, 남다른 능력을 보여주어야 하는.

홍인수는 현장의 인원들에게 유별난 애틋함을 가지고 있었다. 그 스스로가 교전 지역을 비롯해 다양한 상황 속에서 뛰어다니며 임무를 수행했기에 누구보다 잘 이해하는 것일지 몰랐다. 자신이 어느 정도로 힘들다면, 다른 인원들이 체감할 난이도와 고생은 대강 짐작이 간다.

그리고 현장에서 뛸 때는 보통 자신의 일만 생각하면 되었다. 조직에서의 연차가 오르고 다양한 상황과 사건들 중 그가 겪어보지 않은 유형이 없게 되었다. 단순히 개인 작전을 뛰는 데는 이토록 어렵고 또 부담스러운 고민을 하는 과정은 많지 않았다.

그는 그러한 분야- 전투에 있어서는 마스터라는 칭호를 받은 존재였으니. 대규모의 전장과 그에 따른 원거리 교전에서는 점퍼라고 할지라도 발휘 가능한 물리력의 한계 탓에 마스터라 할 수는 없겠지만.

현대전과 이 시대의 트러블 중 대부분의 비율을 차지하는, 그리 많지 않은 소수의 틈 많은 교전 중에서 그는 자유로울 정도로 마음껏 활개치고 다녔다.

"네가 단순하게 총 들고 뛰어다닐 수 있도록, 하는게 내 일이다. 그리고 지금 하는 회의에서 하는 일들이고. 연차가 계속해서 오른다면 너 역시 누군가가 그렇게 날뛸 수 있도록 판을 깔아주는 사람이 되어야 한다. 조직의 모든 일은 협업을 전제로 하고 있어."

홍인수의 기색을 살피며 잠잠코 이야기를 듣던 커맨더가 나지막이 말했다. 맞는 말이었다. 시덥잖은 농담도 반박으로 생각나지 않을 정도로. 자신이 더 어렵고 희소하며 가치 있는 일을 한다고 뻐겼던 개인적인 기억들이 부끄러워지는 이야기였다.

그 역시 누군가의 도움으로 유지 가능했던 것들이었다. 역할에 나누어 누군가가 해야만 한다면, 홍인수가 할 수도 있는 것이긴 했다. 그는 커맨더의 지나가듯한 말에 그 스스로 나름의 납득을 해냈다.

"…몇 분 남았습니까?"

회의에는 끝이 없었다. 결론이 날 때까지 말이다. 대신 회의 중간에 있는 쉬는 시간에는 끝이 있었다. 십 오분 정도 쉬고 다시 만나기로 했다. 홍인수는 찬찬히, 시원한 매실 음료 500ml를 한 통 다 비우고 잠시 앉아있다가 커맨더와 함께 회의실로 돌아갔다.

*

점퍼 사건, 이라는 게 참 우스운 말이었다.

순간이동 능력, 공간이동 능력을 가진 세계의 특수자들을 부르는 이명이 곧 점퍼였다. 그들 스스로는 그 이름이 아주 익숙했지만, 그 말이 다른 이들로부터 튀어 나온다는 상황은 처음 있는 일이었다.

그래, 여태까지 점퍼 조직은 아주 잘 해왔다. 조직을 이루고 세계 각국의 단체들과 긴밀하게 협조 관계를 맺어오면서, 수 많은 재난 상황을 돌파하고 위기에 빠진 이들을 구출하면서도 그 정체가 전면에 드러나지는 않았다.

한국은 여러모로 점퍼 조직과도 연관이 깊은 나라였지만, 그런 나라의 시내 한복판에서 이렇게 정체가 탄로날 줄은 몰랐다.

보통 자연적으로 점퍼들이 발생하고, 스스로의 능력을 깨닫고, 조직이 아닌 개인으로서 삶을 살아갈 때도 최소한의 양식이나 상식이란게 있는 법이었다. 이 세계에 자신밖에 가지고 있을 것 같지 않은 남다른 능력이 있다면, 보통은 숨기는게 일반적인 행동의 양상이었다. 그것으로 남몰래 이득을 취할 수도 있고, 유사시에 위기를 넘길 수도 있을 테니까.

그리고 점프라는 힘이 개인으로서는 할 수 있는 일이 다소 제한되는 것이기도 했고, 폭발적인 가시적 효과를 동반하는 것이 아니라 여태까지는 어떻게 잘 해 왔다. 들키지 않고. 점퍼의 존재가 전혀 알려지지 않은 건 아니었지만, 적어도 이렇게 군중과 사회에 대놓고 드러나는 일은 피해왔었다.

커맨더는 이런 상황에 대해 적어도 최소한의 준비와 대비를 해야 했다. 각국의 수뇌들과도 이야기를 나누었다. 야기될 사회적 혼란을 예측해보고, 그것을 감당하기 위해 어느 정도 밑작업도 필요했다.

일단 물리적인 영상 정보나 증거들 따위는 현장에서 모조리 지웠다. 그럼에도 사람들이 직접 본 사실과 그 말들이 퍼져 나가면서, 이전보다 뚜렷한 소문, 구체적이고 사실적인 입소문이라는 이상한 형태로 점퍼들의 존재가 사회에 어느 정도 스며들었다.

*

　일단 민서의 일상은 이전과 크게 다를 바가 없었다. '점퍼'라고
는 하지만, 그가 직접적으로 그 능력을 사용할 수 있는 것도 아니
었고. JE라는 에너지의 존재를 다른 이들이 찾을 수 있는 것도 아
니었다.

　적어도 두 사람이 초능력을 사용했다, 라는 점에 있어서 인터넷
상에서는 다양한 부류의 소설들이 진행되고 있었다. 한 쪽은 사회
의 혼란을 야기하고 불필요한 전쟁을 일으키려는 악의 축이었고,
다른 한 쪽은 세계의 정의와 평화, 공공선을 지키기 위해 동분서주
하는 정의의 사도였다.

　또한 그 둘이 보여준 모습 또한 일견, 초인처럼 보이기에 충분
했다는 것도 유효했다. 메리 포핀스는 그저 남들보다 체격이 좋고,
운동신경이 뛰어난 여성일 뿐이었지만. 시대를 다소 앞선 기술력의
보조로 인해 순간적으로 괴력을 발휘하며 공중에서 기예를 선보였
다.

　그리고 사회에서 볼 수 있을지 모르겠는 신형 드론을 타고 서울
상공에서 느닷없이 폭탄 테러를 시도한 사내의 분위기 역시 어딘
가 초현실적인 부분이 있었다. 사람들은 좋을대로 떠들었고, 이야
기를 진행시켰다.

흔한 영웅담이었다. 헐리우드 영화에서 차용하고는 하는. 그리고 그런 단순한 구조와 대립은 많은 이들이 쉽게 이해하고 또 공감하며, 소비하기에 좋다.

사회적 변화 이전에 적어도 어떤 사람들에게 영감은 준 모양이었다. 그 사건을 모티브로 한 창작물들까지 나오고는 했다. 소설이나, 만화. 인터넷 상에 짧막한 사진들로 떠도는 형식으로.

민서는 할 일이 없을 때는 인터넷 서핑에서 몇 시간이고 보내곤 하는 폐인이었던 전적이 있었으므로, 그런 양상들을 자연스럽게 확인할 수 있었다.

자신이 실제로 알고 있는 점퍼들의 모습과 비교하면서 그들의 창작물들을 바라보는 것도 나름대로 재미있는 일이었다. 얼추 비슷한 구석도 있었고, 실제와는 다른 부분들도 있었다.

대개 만들어지는 점퍼의 모습은 초인에 가까운 것이었다. 언제 어디로나 제한 없이 순간이동을 하고, 막강한 힘을 가졌으며 그 전후 과정에 어떤 제약도 없다.

만약 실제로 저런 능력이라면 전 세계에 있는 백 명이 넘는 점퍼들은 마구잡이로 튀어나오며 세상을 어지럽혔을 것이다.

그저 남들과 다른 수단으로 이동을 할 뿐이었고, 까딱 잘못하면 상처 입고 죽는다는 점 때문에 함부로 움직이지 못하는 실제의 모습과는 조금 다른 이야기였다.

민서는 방구석, 이전보다는 좀 나은 환경의 신식 원룸에서 컴퓨터를 끄며 서핑을 마쳤다.

한국은 인터넷 강국이었다. 이미 이런 말이 나돈지도 십 수년이 지나 어딘가 철지난 말처럼 들리는 단어였지만. 그럼에도 불구하고 그러했다. 한국에서는 빠르게 많은 정보들이 움직였고, 소문같은 것도 그러했다.

많은 양의 정보 생산물들이 쏟아졌고 다른 나라에도 점차적으로 유입이 되었다.

헛소문처럼 퍼지는 사실에 각국의 수뇌들이 취하는 입장은 조금씩 다른 것이었다. 한국은, 이미 어쩔 수 없는 현재 상황에 대해 마지노선만을 정해놓고 가만히 있었다. 다른 선진국들은 조금 신경질적으로 반응하며 정보를 통제하거나, 혹은 다른 선전으로 사실이 아니란 쪽으로 은연중에 방향을 돌렸다.

불가해한 에너지와 현상에 대해서 세계가 일시에 받아들일 것을 우려하는 태도와 움직임이었다. 적어도 어떤 현상에 대해, 전문가들이 제대로 된 입장을 내놓을 수 있을 때까지 발표를 미루자는 것이다.

그것이 이번 세대 내에 이루어질 지도 모르는 일이었지만.

*

메리는,

그대로 드론을 공중에서 잡아채어 돌리면서 한 순간의 근력으로 움직임을 통제했다.

그리고 적당히 먼 곳으로 도약했다. 그녀가 움직인 곳은 태평양의 어느 한복판, 수면 위의 상공이었다. 사람도, 무엇도 없고 그저 태양과 바다 뿐이었다. 그 아래로 유영하는 물고기들이야 무수하겠지만.

한낮의 열기는 지나고 태양의 위치가 다소 아래로 떨어져 있었다. 거칠 것 없는 광대한 공간에 태양빛이 하늘과 바다 사이를 가로지르고 그 안에서 메리는 마저 대회전을 했다.

한 바퀴를 1이라고 친다면, 4분의 1정도를 마저 돌고 그대로 타이밍에 맞추어 손을 놓았다. 대형 드론은 그대로 관성에 따라 메리로부터 멀어지게 날아갔다. 돌고 있는 프로펠러 탓에 이리저리, 방향을 꺾었지만 메리로부터 직선 운동의 방향을 바꿀 정도는 아니었다.

그대로 드론은 구불거리는 형태의 포물선을 그리며 바닷물에 처박혔다.

그리고 메리는 자신이 올바른 일을 했음을 깨달았다. 드론이 단순히 부딪혀서 사상자가 날 뻔한 일 이상의 것을 잘 막아 내었다.

드론이 바닷물에 잠기고 한 십여 초 뒤에, 쾅! 하는 폭음이 들리더니 바닷물이 치솟았다. 그녀 역시 상당한 높이에 나타났기에 떨어지고 있었고, 공중에서 다이빙을 준비하는 자세로 바꾸어서 수면에 파묻힌 다음에 물속에서 들은 것이었다.

깨나 먼 거리였음에도 물을 통해 파장이 전달되었다. 수면 아래에서 폭약이 불꽃을 전부 피우지 못하고 숨을 죽였다. 후끈거리는 열기마저 조금 전해지는 것 같았다.

메리 역시 그 안에 폭약이 설치되어 있으리라고, 확신하지는 못했다. 비상식적인 수준의 화약을 넣고 그 일대를 전부 날려버리려

했다면 지금 메리 역시 무사하지 못할 뻔 했다. 그녀는 방심했음을 인정하고 가슴을 쓸어내렸다.

드론을 던진 순간 곧바로 점프해서, 그로부터 먼 위치로 도망가는 것이 보다 안전한 선택지였으리라.

수중에서 갑작스러운 열기와 폭발을 마주한 그녀는 그대로 조금 뒤로 밀려나서, 바다 속을 유영하며 능숙하게 수면 위로 떠올랐다. 그녀는 수영에 능숙한 편이었다. 이런저런 장비나 옷을 입고 있는 채로도, 물 위로 떠오를 수 있을 정도로 말이다.

"푸후."

전투 수영, 같은 동작으로 수면 위에 고개를 내민 그녀는 팔 다리를 휘저으며 태평양 한복판의 물길을 즐겼다.

그리 오래 그러고 있을 수는 없었다. 아무튼 요란스런 사건의 정리 뒤에는, 또 다른 행정적인 처리와 뒷감당이 필요한 법이었다. 상세하게 현장의 상황을 보고하고, 사건의 발단을 찾기 위해 치안 조직들과도 힘을 합쳐야 했다.

10월, 태평양 한 복판에서 잠시 수영을 하던 그녀는 다시 도약을 사용해 일단 점퍼 기지로 돌아갔다.

*

야가미와 민서는 일단 그 날 아무런 피해 없이, 무사히 잘 복귀를 했다. 인명 피해는 그리 많지 않았다. 빌딩이 부서졌으나 사람이 없는 층의 내부에 닿아 있는 위치였어서 재산 피해만이 막대하게 생겼을 뿐이다.

거리를 지나 다니는 사람들도 폭발로 인한 부스러기에 맞아 사소한 타박상이나, 부상을 입었을 뿐이지 후유증이 남거나 입원 치료를 받아야 하는 이는 없었다.

그러나 갑작스러운 폭격에 트라우마가 생긴 이들은 꽤나 있을 법했다. 눈 앞에서 벌어지는 대형 사고란 그런 것이었다. 수정은 나름대로 담력이 강한 편이었지만, 놀란 마음을 감추기가 어려웠다.

그 뒤로 한동안은 바깥에 잘 나가지도 못했다.

아무 의미도 연관성도 없지만 충격적인 기억 때문에 비슷한 상황을 피하고자 하는 것. 그게 정신적인 스트레스로 인한 트라우마의 특징이었다. 길거리를 걷다가 교통 사고를 당한 충격이 너무 크고 고통스럽다면, 평범한 도로에 나서는 것 자체를 꺼리게 되는 것이다.

수정의 경우 그리 깊지는 않았지만. 길지 않은 시간만에, 안전한 생활을 반복하며 스스로 회복했다.

*

"음. 괜찮니. 어. 다친 덴 없잖아. 같이 있어놓고 그러네. 그러게. 나도 그런 건 처음봤어."

민서는 핸드폰을 들고 있었다. 연구소에서 걸고 있는 전화였다. 그가 사용하는 건 국제 통신이 자유롭게 되는 기종으로, 다소 송수신료가 비쌌지만 점퍼 조직에서 점퍼들 대상으로 다소 싸게 계약할 수 있도록 제휴를 맺어준 물건이었다.

스위스의 시간으로 새벽이었다. 서울의 시간으로 한낮일 것이다. 그는 그 날의 사건 이후로 종종 걸게 된 전화로 수정의 안부를 살피며 이야기를 건넸다. 민서는 연구소의 실험에서 잠시 벗어나 테라스, 발코니 같은 공간에 서며 잠시 휴식을 취하는 중이었다.

수정은 며칠 째 방구석에만 있는 모양이었다. 그런다고 딱히 위협이 사라지는 건 아니었는데. 민서로서도 걱정이 되기는 했다.

점퍼 본부는 세간에 드러난 점퍼들의 존재에 대해서도 대비책을 생각해야 했지만, 그런 일련의 테러 사건을 저지른 점퍼 또한 주목하고 추적해야 했다. 어디로부터 그런 자가 나왔는가.

다른 어떤 단체보다 점퍼 조직이 힘을 좀 쏟아야 할 일일 것이었다.

연구소는 경치가 좋은 곳에 있었다. 얼마 나가지 않아서 주변을 바라보면 풍광이 좋은 근처의 산야를 구경할 수 있다. 도시에서 다소 떨어진 곳이라 그런지 하늘을 쳐다보면 별이 좀 더 잘 보이는 것 같았다. 사실 어딜 가든, 서울보다는 훨씬 잘 보일 것이었다.

온갖 인위적인 조명으로 강하게 불을 밝히고 있다 보면, 별 정도는 잘 보지 못하게 되는 것이다. 뭐든 장단점이 있는 법이다.

스위스에 있다지만 점프로 이동하는 민서에게 시차는 그렇게 중요한 것이 아니었다. 이번에 옮겨 올 때에 송일우의 도움을 받았다. 그는 이후로도 조직에 헌신하면서 원래 받았어야 할 대강의 형량을 감하고 있었다. 점점 누그러들고, 사람이 순해지는 것도 같았다. 뭐든 자신만 알고 날뛸 때 보다 좀 제어를 해줄 수 있는 동료들이 있다면 사람이 나아지는 것도 같았다.

"그래, 거긴 낮이겠네. 잠깐 다른 데 나와 있어. 응. 전에 말한 무슨 일하는 데서 필요해서. 그러게… 비행기도 태워주고. 좋은 곳인 것 같기도 해 있을수록."

이것저것 공유하면서, 중요한 내용 빼고는 거의 다 말하는 것 같았다. 민서는 자신이 일정한 비밀을 감추면서 오래도록 이야기할 수 있다는 걸 수정과 대화하면서 깨달았다. 의외의 재주였다.

어쨌든, 폭발 사건도 사건이고 점퍼에 대해서도 수정 역시 목격을 했다. 야가미가 갑자기 다가온 건 아마 못본 것 같았다. 워낙 정신이 없는 상황이었으니. 그러나 드론을 타고 있던 남자가 사라지고, 메리가 나타났다가 드론과 함께 사라진 건 그녀 역시 목격했으리라. 그 자리에 그 장면을 보지 못한 이는 없었으니.

수 많은 사람들이 동시에 목격한 일이라 전처럼 '암시'를 통해서 기억을 지울 수도 없었다. '맨 인 블랙'이 떠오르는 일이었지만, 그 만큼 고성능은 아니다. 이 세계엔 외계인도 없었고. 가진 기술력 또한 고작해야 근미래에 한 발 걸친 수준이었다.

한 두 사람을 대상으로 최초의 1회에 관해서는 어느 정도 영향력을 발휘 가능한 것이었지만. '암시'는 말이다. 그 또한 완벽한 것도 아니었고. 상대가 의심이 많고 의식을 뚜렷하게 가지려 한다면 그다지 통하지 않는 종류였다.

민서는 이후로 의도적으로 '점퍼', '순간이동'에 대한 주제는 피하고 있었다. 수정이 물어온다면 어설프게 모른 척을 하다 들킬 것도 같아서, 왜인지 오래도록 이야기를 하고 있다보면 심장 한구석이 긴장감으로 아려오기도 한다.

이게 사랑인가?

"음, 아니 잠깐 딴 생각했어."

아마 아닐 것이다.

"점심은 먹었니. 여기는 밥이 잘 나와. 무슨 연구소처럼 생긴 곳인데… 밥이 맛있네. 그냥 서양인들이 국적 상관없이 여럿 있는 곳인데 간단한 양식이나, 중식 비스무레한 것도 좀 있는 것 같아. 볶음밥도 있고."

그 뒤로 여러가지, 몇 마디를 더하다가 통화를 끊었다. 어쨌든 수정이 잘 있다는 걸 확인했으니 마음은 놓인다.

연구소에서 그가 하고 있는 일은 늘상 하는 일상의 반복이었다. 별다른 사건이나 임무에 참여하는게 아니라면, 기본적인 그의 루틴은 늘 단조롭다. 연구소에서 JE2를 사용한 재밍 능력의 강화를 위해 연습을 하고 훈련을 한다.

그에 맞추어서 연구소 직원들이나 기계들은 그의 능력의 변화와 세기 따위를 측정하고 JE에 대한 연구를 지속한다.

어느 정도 연구소 내부에서의 실험을 겸한 연습을 끝내면 개인적으로 재밍 능력의 사용을 위해 집중을 하고 반복을 한다.

주로 연구소로 올 때에 그를 데려다 준 점퍼가 협조자가 되어서 일정한 시간마다 능력 발현을 체크해준다. JE2는 본질적으로 JE가 없으면 아무 의미도 없는 에너지이고 능력이었다.

민서는 단조로운 반복을 계속하며 과연 이것이 점프 능력에 대한 해석에 도움이 되고, 진보의 한 걸음이 되고 있는 걸까 하는 의문이 들었지만 유리창 너머에서 연구진들이 심각한 얼굴을 하고 있는 걸 보면 무언가 되기는 하는 모양이었다.

종종 마주치며 따뜻한 눈 인사를 해주는 연구소장이나, 괴짜 박사들과도 어느 정도 안면이 익기도 했고.

연구소에서 디저트로 나오는 블루베리 잼 핫케잌이 제법 입맛에 맞기도 했다.

사회의 변화나, 점퍼 조직의 분주함과는 한 발 물러서서 민서는 자신의 일에 집중했다. JE2라 불리는 에너지는 점점 발현할 때마다 강력해졌다. 에너지의 누적이나 발현 시간은 꾸준히 조금씩 늘어갔다. 그로 인한 JE에 대한 간섭 지수는 계단식으로 올라가는 것이었지만.

발현자인 민서 스스로의 발동 시간은 연속적으로 늘어간다.

10월에는, 최초에 일어난 폭탄 테러 사건을 제외하면 별다른 일이 없었다. 물론 민서의 관점에서였고, 평화로운 일상을 보내는 도시에서의 경우였다. 이런 평범한 날도 어딘가의 누군가는 비극과 고난을 겪기도 하고, 전쟁이나 굶주림에 배를 움켜쥐고 살아남기 위해 애쓰는 나날들도 있었다.

그런 공간들을 점퍼 조직의 다른 요원들이 제약 없이 뛰어넘으며 고생을 했다.

민서가 발현하는 '재밍' 능력이 30분 단위를 넘어서기 시작했다. 그리고 그가 발현하는 JE2의 영향 범위가 km단위로 늘어나기 시작했다. 이대로 계속해서 능력이 발전한다면, 정말로 재머로서의 역할을 할 수 있을지도 모른다.

점퍼의 능력에 제약은 없지만 점퍼 스스로에게는 제약이 많았다. 사람은 별다른 기구 없이 지구를 벗어나서 살아남을 수 없었다. 그리고 생활에 필요한 물건이 아무것도 없는 극한의 오지나 야생에서의 생존도 제한적이었다.

그런 일정한 범위 내를 재머의 영역에 넣을 수 있다면 결국 점퍼들의 움직임을 효과적으로 통제할 수 있게 되는 것이다. km란 단위에 진입하는 것은 그런 가능성의 실마리를 보게 했다.

*

옌은 스스로 시달리고 있다고 생각하지는 않았다.

그러나 사실 그런 생각을 애써 하고 있는 시점에서 어느 정도 시달리고 있는 걸지도 몰랐다.

그녀는 흔히 대도시들을 돌며 점퍼들의 흔적을 찾을 때처럼, 다양한 지역을 누비며 레이더로서의 능력을 유감없이 발휘했다.

서울 한복판에서 폭탄을 던진 일이 발생한 이후로 각국의 단체들이 신경질적인 반응을 나타내었다.

서울이라는 점에서, 타국의 수뇌부가 개인적인 위협을 직접적으로 느낄 필요는 없었지만. 달리 생각해보면 서울처럼 치안 수준이 높은 곳도 범죄를 저지르는 점퍼가 마음만 먹으면 언제든 그런 일을 벌일 수 있다는 증명이 되는 셈이었다.

그리고 그런 일을 벌일 지 모르는 상대는 정체를 알 수 없지만 상당한 자본과 기술력을 보유하고 있는 듯했다. 사람을 태우고 안정적으로 공중 기동을 할 수 있는 드론이나, 가볍게 폭탄을 사용하는 모습을 본다면 말이다.

악의를 조금만 더 날카롭게 품는다면 어떤 나라의, 어떤 도시도 그 위협으로부터 안전하지 못했다.

그런 불안감이 추적을 재촉했고, 사실 점퍼를 찾는 일에 왕도 따위는 없었다. 그저 여태까지 활용하는 각국의 정보 단체들을 이용해서 직접 수색을 하는 수 밖에는.

'옌' 정도만이 유일하게 박차를 가하며 써먹을 수 있을만한 수색 자원이었고.

그 덕에 점퍼 조직 내에서 온갖 이들의 지원을 받으며 옌은 각국의 도시들을 돌았다. 이런다고 해서 반드시 점퍼가 잡힌다는 확증은 없었지만, 적어도 가능성이 있다는 게 중요하다. 하루에 백 회가 넘는 순간이동을 할 수 있는 점퍼들은 의외로 무심결에, 또 반복적으로 점프를 사용하게 되어 있었다.

만약 그 능력이 하루에 3회 정도로 제한된다면 아마 그러지 않겠지만, 백 회 즈음 된다면 그렇게 중요하지 않은 일에도 점프를 낭비할 가능성이 있는 것이다.

만일 옌 같은 존재의 추적을 예상하고 어느 정글이나 인적이 드문 외딴 곳에 처박혀서 일정 기간동안 은둔을 한다면 찾을 도리야 전혀 없었지만. 그러지 않을 가능성을 염두에 두고 옌은 신나게 굴려졌다.

점퍼 조직 내, 외에도 어떤 나라에서는 점퍼를 보유하고 있었다. 점퍼, 가 인간인 이상 보유한다는 것이 어색한 말이기는 하지만 어쨌든 남다른 능력의 자원을 가졌다는 점에서는 그렇게 표현할 수 있었다.

점퍼는 자연발생적이었고, 점퍼 조직은 애초에 점퍼들 중 일부가 모여서 만들어낸 곳이지 절대적인 단체는 아니었다.

만일 어떤 점퍼가 나타나고, 그가 목적이나 사상이 없이 범죄 조직에 닿아서 자신의 능력을 마음껏 사용하며 불의한 이득을 취하는데 심취할 수 있는 것처럼, 때로 어떤 인물의 경우에는 정부쪽 인물과 연이 닿아서 비교적 건전하고 양지의 일에 자신의 능력을 유용할 수도 있을 것이다.

아주 드물게 그런 경우가 있었다. 2개 국가에 한명 씩 두 명 정도.

캐나다와 벨기에였다.

둘 모두 세계 정세에 리더로서의 위치를 지니고 활약하는 나라들은 아니었지만, 적어도 정치적인 합력 속에서 적절한 지원이 있다면 얼마든지 능력을 내보일 수 있는 나라들이었다.

벨기에는 대개 유럽 쪽의 사건에 자국의 점퍼를 이용해서 지원을 주고 정치적 이익을 얻고 있었고, 캐나다는 미국이나 호주 등 비슷한 위치에 있는 서방 국가의 영향력 아래에서 점퍼를 유용했다.

각 국의 점퍼들은 정부의 소속으로, 희소한 자원에 대체가 불가능한 능력이라는 점에 있어서 꽤나 극진한 대우를 받으면서 일을 하는 것으로 알고 있었다. 점퍼 조직 또한 파악하고 있는 대상들이었고, 그들의 JE보유량은 평균치에 근접하며 점퍼 조직 내의 인원들에 비해서는 역량이 부족한 능력자들이었다.

캐나다인의 이름은 '존 케이지'였다. 벨기에 인의 이름은 '에바 캐롤'이었고.

옌은 그런 서방 세력을 일구는 선진국 연합의 의지에 따라, 조직 외의 점퍼들의 지원까지 받으면서 하루에 수십 번 이상의 점프를 기본적으로 반복했다.

도약 횟수는 결국 JE의 총량에 따른 것이었다. 하루에 점퍼가 임무 등에 사용하는 점프 횟수들이 있었고, 잉여 횟수들 또한 존재했다. 그리고 다소 아끼고 절약해서 잉여분을 만들어낸다면, 약 20여 명의 점퍼 인원들이 십시일반해서 상당량을 모을 수 있었다.

게다가 수색 임무에 차출된 점퍼를 한 두 명정도도 할애해서 옌과 함께 하게 된다면 수십 번이 아니라 백 번, 이백 번 이상의 점프역시 가능했다.

그리고 존과 에바가 더해진다면 그 정도 수의 점프가 거기에 그대로 합쳐졌고.

점프를 하는데 딱히 소모되는 체내의 에너지는 없었다. 칼로리가 낭비되는 일도 아니었고(가끔 다이어트가 필요한 부류는 안타까워하지만), 정신 에너지가 관련하여 소모된다고 해도 가시적인 수준은 아니었다.

그냥 집중을 많이 해서 뻐근하고, 피로한 정도일 것이다. 실제로

JE를 다루려 집중을 하느라 공부를 빠듯하게 했을 때와 같은 피로 감이 일 때도 있었으니까.

그러나 기본적으로 옌은 스스로 점프를 하는 것보다 타인에 의한 단체 도약을 더욱 많이 경험하고 있었으므로 그런 정신적인 피로감을 누릴 건덕지도 적었다.

그럼에도 불구하고, 하루에 수 백번 정도 계속해서 풍경이 바뀌며 점프를 경험하는 일은 약간의 어지러움을 유발하기도 했다.

그냥 시야가 빠르게 변하는 것에 따라 일반적인 멀미였을 지도 모른다. JE의 작용과는 관계 없는.

눈을 감아도 딱히 레이더로서의 옌의 능력이 변하는 것은 아니었다. 수십 회가 지났을 즈음에는 옌은 그냥 눈을 뜨지도 않은 채, 기계적으로 수색을 반복하며 전 세계의 다양한 도시들을 돌았다.

수색을 위해 이동하는 것이라 잠깐의 틈도 없었고 경치를 구경할 겨를도 없었다. 이런 집요한 수색에 한 명이라도 걸리면 좋으련만.

세계에 있는 약 백 명을 넘는 점퍼들이 하루에 백 회 이상의 점프를 평균적으로 사용한다면 하루에 만 회 정도의 도약이 세계 곳곳에서 일어날 텐데. 개중에서 옌은 쉽사리, 해당하는 테러리스트의 기척을 잡아내지는 못했다.

*

점프를 사용한다고 해도 여행은 피로한 일이었다.

옌은 10월의 몇 주간을 정신없이 보냈다. 그녀가 가진 능력이, 점퍼들 중 유일하다는 건 그다지 좋은 일은 아니었다.

10월 15일. 토요일. 그녀는 딱히 운동을 한 건 아니었지만 녹초가 된 것 같은 기분으로 기지 안에 머물렀다. 개인실에서 보통은 샤워를 하고서 나돌아다니는 것이 다른 이들에게도 좋은 일이었지만 일단은 휴게실로 가서 음료수를 한 병 땄다.

마치 술을 따듯한 흐름이었지만 그녀는 술을 즐기는 편은 아니었다. 그리 건강하지 못한 몸에 무리를 주는 일이기도 했고.

애초에 휴게실에는 주류가 없다. 늘 비치되어 있는 음료수들이 있을 뿐이지.

한국어는 간단한 단어들은 읽을 수 있었지만 뜻을 다 알지는 못했다. 듣고 말하기는 얼추, 조직 내에서 다양한 이들과 교류하고 또 많은 한국인들과 의사소통을 하다 보니 느는 것 같았다.

조직 내에서 이런 저런 임무들을 맡고 책임을 지다 보니 자연스레 기지 내에서 머무는 시간이 늘었다. 송일우는 아직 기지 밖, 한국에 있는 집에서 대기를 하다가 일을 하기 위해 종종 들르는 모양이었지만 그는 얼마 전부터 개인실을 배정받아 지내고 있었다.

기지 내부는 고층 빌딩을 몇 층씩 나누어서 넓게 분포시킨 것과 비슷한 모양새였다. 지하에 만들어진 건물이었고, 대충 짐작을 하더라도 막대한 자본이 투입되었을 것 같은 생김새다.

실제로, 핵이 터지거나 하는 상황에서도 방공호로서의 기능을 어느정도 하는 건물이었다.

점퍼 조직과 교류하는 선진국들의 비상 상황의 메뉴얼에는 조직의 점퍼들을 이용해 각국의 수뇌부가 빠르게 이 곳 점퍼 기지에 모여서 타개책을 논의하는 것도 방법 중 하나로 기록되어 있었다.

실제로 시간이 급할 때는 가장 쓸만한, 그리고 가능성 높은 도피 방법이기도 했다. 공간이동을 이용하는 게 말이다.

어쨌든 그녀는 개인실에 들르지 않고 먼저 휴게실에서 이름도

뜻도 모르는 음료수 하나를 까서 홀짝였다. 바 형식의 투명한 테이블과 의자에 앉아서 피로를 풀고 있을 때 휴게실에 다른 이가 찾아왔다.

휴게실은 각 층이나 동마다 있는 것으로, 같은 곳을 이용하는 경우가 많지는 않았다. 굳이 점퍼들만 사용하는 건 아니었지만 그녀가 있는 동은 점퍼들의 개인실이 몰려 있었고, 기지 내의 휴게실을 이용하는 점퍼들은 그다지 많지 않았다.

다른 곳에서 휴식을 취하지 밀폐된 기지 내에서의 시간을 달가워하는 이들은 적었다.

홍인수는 그런 조직 내의 휴게실의 단골이었다. 갖은 궂은 일을 바깥에서 하다가 기지 내에 돌아오면, 어딘지 모르게 집 같은 느낌이 드는 것도 같았고 말이다.

휴게실의 바 테이블이 붙어 있는 벽면은 그저 흰 색이었다. 조직의 기지가 다양한 첨단 기기들이나 기술력이 집약되어 있는 곳이라는 설명대로, 가끔 보다보면 영문 모를 최첨단 기술들이 여기저기에 배치되어 있고는 했다.

사람들이 잘 사용하지 않는 휴게실의 벽면에도 들어 있는 기능이 있었다. 벽면 전체가 거대한 터치 패널이었고, 손가락으로 두드려서 일정한 인터페이스대로 입력을 마치면 마치 야외의 풍경을 보는 듯한 고화질의 열상이나 그림을 선사했다.

옌은 얼마 전에 휴게실에 있다가 우연히 기능을 발견했다. 달고, 적당히 미치근한 페트 병의 음료를 마시면서 동남아의 해변과 비슷한 그림을 구경하던 그녀는 뒤에서 다가오는 기척을 놓쳤다.

"여."

심술궂은 장난처럼도 들리는 말투로 사내가 말을 걸었다. 어깨를 움찔 떨며 뒤를 바라본 옌의 눈에 보인 것은 홍인수였다.

옌은 둘 사이에 가장 원활하게 소통 가능한 언어인 영어로 입을 열었다.

"어… 네."

사실 영어가 아니더라도 충분히 가능한 수준의 대답이었지만.

홍인수는 그런 그녀의 말을 무시하고 한국어로 다시 말을 걸었다.

"다른 점퍼들이랑 편하게 일하려면 한국어 정도는 익히는 게 좋을 겁니다. 다들 본국어나 영어, 한국어 정도를 능숙하게 하고 있기도 하고요. '재머' 빼고는."

듣기는 그래도 가장 능숙한 부분이었기에 그의 의도를 이해하는 데 오해는 없었다. 옌이 고개를 끄덕였다.

홍인수는 그런 그녀를 보더니 마찬가지로 어딘가 지친 표정을 짓고는 근처의 자리에 앉았다. 후우, 하고 한숨을 내쉬면서 항상 집어 드는 매실 음료를 쥐고 마신다.

둘은 그렇게 한참의 시간을 보내다가 각자의 자리로 돌아갔다.

*

점퍼Jumper, 순간이동자 3권 끝.